Collection du CHU Sain
pour les parents

Le monde des jouets et des jeux
De 0 à 12 ans

Francine Ferland

**RETIRÉ DE LA COLLECTION
UQO - DIDACTHÈQUE**

Université du Québec
en Outaouais

2 7 NOV. 2013

Didacthèque

Éditions du
CHU Sainte-Justine

Catalogage avant publication de Bibliothèque et Archives nationales du Québec et Bibliothèque et Archives Canada

Ferland, Francine, 1947-

Le monde des jouets et des jeux
(La Collection du CHU Saint-Justine pour les parents)
Comprend des références bibliographiques.
ISBN 978-2-89619-616-6

1. Jouets. 2. Jeu chez l'enfant. 3. Enfants - Développement. I. Titre. II. Collection : Collection du CHU Sainte-Justine pour les parents.

HQ784.T68F47 2013   649'.55   C2013-941233-6

Illustration de la couverture : Frédéric Normandin
Conception graphique : Nicole Tétreault

Diffusion-Distribution au Québec : Prologue inc.
                en France : CEDIF (diffusion) – Daudin (distribution)
                en Belgique et au Luxembourg : SDL Caravelle
                en Suisse : Servidis S.A.

Éditions du CHU Sainte-Justine
3175, chemin de la Côte-Sainte-Catherine
Montréal (Québec) H3T 1C5
Téléphone : (514) 345-4671
Télécopieur : (514) 345-4631
www.editions-chu-sainte-justine.org

© Éditions du CHU Sainte-Justine 2013
Tous droits réservés
ISBN 978-2-89619-616-6 (imprimé)
ISBN 978-2-89619-617-3 (pdf)
ISBN 978-2-89619-618-0 (ePub)

Dépôt légal : Bibliothèque et Archives nationales du Québec, 2013
                Bibliothèque et Archives Canada, 2013

Membre de l'Association nationale des éditeurs de livres

*À Gabriel, Maude, Florence et Camélia,
mes magnifiques petits-enfants*

REMERCIEMENTS

Mes remerciements les plus sincères vont :

À Maurice Ferland, mon compagnon de toujours, pour m'avoir donné l'idée originale de ce livre ;

Aux membres de l'équipe des Éditions du CHU Sainte-Justine, dont Marise Labrecque, directrice, pour son soutien et son enthousiasme indéfectibles ; Marie-Ève Lefebvre, éditrice, pour sa minutie à réviser le manuscrit et Nicole Tétreault, graphiste, pour ses nombreuses démarches afin d'obtenir les autorisations de reproduction des images qui figurent dans le premier chapitre ;

À Danielle Charbonneau, coordonnatrice du dossier jouets à Option consommateurs, et Marc Fournier, directeur recherche et développement aux Éditions Gladius international, qui ont généreusement partagé leurs connaissances avec moi ;

Et, finalement, aux enfants — les miens et ceux des autres —, qui continuent à être pour moi une source intarissable d'inspiration.

Qui a dit que l'écriture était une activité solitaire ?

TABLE DES MATIÈRES

INTRODUCTION..15

CHAPITRE 1
Histoire de jouets.. 19
Des jouets à différentes époques............................... 20
L'origine de certains jouets...21
    La poupée 21
    Le hochet.. 22
    Les jeux d'imitation 24
    Les jouets à roulettes, à bascule et les chariots 25
    Les jeux d'adresse 26
    Les jeux de hasard 30
    Les jeux de société..31
    Les jeux vidéo et le cyberjouet 33
Matériaux et fabricants des jouets au fil des ans......... 34

CHAPITRE 2
Des jouets, des jouets et encore des jouets............. 41
Jouets à toucher.. 42
    Le hochet.. 42
    Les peluches 43
    Le tapis d'éveil et le tableau d'activités.................... 44
Jouets pour la baignoire 46
Jouets à écouter et jouets musicaux 46
    Le mobile musical... 46

Le livre avec CD..................46
Les jouets pour enregistrer 47
Les instruments de musique........................ 47
Jouets sur roues.. 48
Les jouets à tirer ou à pousser...................... 48
Le tricycle, la trottinette et le vélo 49
Les patins à roues alignées et la planche à roulettes............................. 52
Poupées et figurines 53
La poupée bébé 53
La poupée enfant 55
La poupée mannequin................................. 56
Les figurines.. 57
Casse-tête et encastrements 57
Jouets pour créer 60
La pâte à modeler....................................... 60
Le bricolage...61
Jouets pour imiter et pour « faire semblant » 62
Les objets domestiques en miniature....................... 62
Les déguisements 63
Jouets pour s'exprimer................................... 64
Le dessin et la peinture 64
Les marionnettes 66
Jouets de guerre... 67
Jeux d'adresse 70
Les balles et les ballons 70
Les fléchettes avec velcro............................. 73

Table des matières 11

Le jeu de quilles 74
Le jeu de poches 74
La corde à danser 75
Le cerf-volant 76
Le jeu de la cachette 76
Jeux de société 78
Laisser gagner l'enfant ? 80
Et les jeux coopératifs ? 81
Jouets pour construire et assembler 84
Les blocs de bois 84
Les blocs de plastique 86
Les petites briques de type Lego® 86
Le Meccano® 87
Les modèles réduits 87
Jouets téléguidés 88
Jouets « scientifiques » 88
Jeux informatiques et jeux vidéo 89
Les pour 90
Les contre 91

Chapitre 3
Questions sur les jouets 97

→ Les jouets éducatifs sont-ils supérieurs
aux autres ? 98
Et les jouets maison ? 101
Le plastique et le carton 101
Les vieux vêtements 103

Du matériel de bricolage inusité 103
L'herbier 104
Le bois et le tissu 104
Quels jouets peut-on fabriquer ? 105
Tapis et blocs d'éveil 105
Jouets en peluche et marionnettes 106
Jouets à partir de boîtes de conserve 107
Cerf-volant 107
Jouets en bois 108
Où ranger les jouets ? 110
Comment inciter son enfant à ranger ses jouets ? 112
Et le rangement des souvenirs de l'enfant ? 114
➤ Comment aider l'enfant à partager ses jouets ? 114
Les jouets ont-ils un sexe ? 117
➤ Comment évolue l'utilisation des jouets selon
le sexe et le développement de l'enfant ? 120
En conclusion 122

CHAPITRE 4
Choisir un jouet pour son enfant 125

Critères d'un bon jouet 126
L'aspect sécuritaire et la durabilité 126
La polyvalence 127
Le plaisir 129
Comment choisir un jouet ? 132
Pièges à éviter 136
Choisir un jouet trop complexe pour l'enfant 136
Lui offrir trop de jouets 136

Lui enseigner à utiliser un jouet 137
*Manifester un plaisir trop intense avec
les jouets de l'enfant*..................138
Réduire le coût des jouets..................139
Des jouets pour tous les âges..................141
  De la naissance à 6 mois..................141
  De 6 à 18 mois..................143
  De 18 mois à 3 ans..................145
  De 3 à 5 ans..................148
  De 5 à 8 ans..................150
  De 8 à 12 ans..................153

CHAPITRE 5
**Fabricants, réglementation
et évaluation des jouets**..................157

Réglementation..................158
Évaluation des jouets par les fabricants..................159
Âges recommandés..................161
Évaluation des jouets par des associations
de consommateurs..................162
Risques associés aux jouets dangereux..................163
Avis de retrait de certains jouets par Santé Canada..166
Rappel par les fabricants..................170
Les jouets et les ventes de garage (vide-grenier)..........170
La publicité auprès des enfants..................172
Aider l'enfant à devenir un consommateur averti.....173

CONCLUSION..................179

INTRODUCTION

*Enfant, ce que j'aimais dans les jouets, c'étaient les catalogues.
Ils me faisaient rêver à ce que je n'aurais jamais.*

Véronique Olmi,
Le Premier Amour

*Je veux espérer qu'il y aura toujours en quelque coin du monde,
un bambin capable de faire un train avec une ficelle et trois
bouchons, une charrette avec une boîte à chaussure et un
flageolet avec une moelle de sureau.*

Madeleine Rabecq-Maillard
Histoire des jeux éducatifs

Entrer dans le monde des jouets, c'est entrer dans le monde de l'enfance, où l'imagination, la créativité, l'autonomie trouvent un terreau fertile pour se développer. Qu'est-ce qu'un jouet ? *Le Petit Larousse* le définit comme un « objet conçu pour amuser un enfant ». Cette définition n'a pas changé au fil du temps puisque le dictionnaire *Littré*, d'après l'ouvrage d'Émile Littré (1863-1877), précise qu'un jouet est : « ce qu'on donne aux enfants pour les amuser, et avec quoi ils jouent ». La seule différence entre ces deux définitions est que le jouet, à l'époque, devait être utilisé par l'enfant pour mériter ce qualificatif.

Il faut aussi distinguer le jouet et le jeu. Le jouet est un instrument qui stimule le jeu. Ce n'est pas parce que la chambre de l'enfant est remplie de jouets que l'enfant jouera. Il arrive que l'enfant joue sans jouet, qu'il joue « dans sa tête ». C'est l'usage qu'il en fait et le plaisir qu'il en retire qui accréditent le jouet.

Il ne s'agit pas ici de répertorier tous les jouets qui existent sur le marché, car il faudrait alors écrire une encyclopédie pour y parvenir. Nous aborderons plutôt dans ce livre différents aspects qui permettront de cerner l'univers du jouet pour l'enfant, de sa naissance à 12 ans.

Quand les premiers jouets de l'humanité sont-ils apparus? L'histoire des jouets présentée au premier chapitre tentera de répondre à cette question et permettra de constater que plusieurs remontent à la nuit des temps.

Aujourd'hui, il existe diverses catégories de jouets destinés tant à l'enfant d'âge préscolaire que scolaire. Qu'apportent-ils à ce dernier et en quoi contribuent-ils à son développement? En passant de l'autre côté du miroir, nous découvrirons ce qui se cache derrière les jouets. De façon générale, nous retiendrons le terme générique du jouet et non son appellation commerciale. Il sera donc question de vélo, de poupée, de jeux de construction...

Un livre sur les jouets ne serait pas complet sans parler des jouets éducatifs. Panacée ou poudre aux yeux? Et les jouets maison? Que peut-on utiliser comme jouets sécuritaires et intéressants parmi ce qui se trouve chez soi? Compte tenu de l'évolution des intérêts et des habiletés de l'enfant de la naissance jusqu'à 12 ans, quels jouets sont les plus susceptibles de l'intéresser à chaque âge? Doit-on donner aux enfants des jouets exclusivement identifiés à leur sexe? Voilà une interrogation qu'ont de nombreux parents.

Quels sont les critères d'un bon jouet et comment choisir? Il existe certains pièges à éviter quand on offre un jouet: quels sont-ils? Ceux qui les fabriquent sont-ils régis par des réglementations? Quel type d'évaluation font-ils avant de mettre leurs produits en marché? Certains organismes peuvent être des sources intéressantes à consulter pour connaître la qualité des jouets. D'autres ont pour mandat de rappeler certains jouets jugés dangereux.

Et comment réduire le budget dévolu aux jouets? Sommes-nous tenus de respecter certaines normes concernant les jouets vendus dans les ventes de garage? Qu'en est-il de la publicité à propos des jouets? On le sait, ils attirent les enfants comme des aimants. Dans ce contexte, comment les aider à devenir des consommateurs avertis?

Cette immersion dans le monde du jouet permettra de mieux connaître cet instrument de jeu qui peut s'avérer une source de plaisir pour l'enfant tout autant qu'un extraordinaire outil d'apprentissage.

Chapitre 1

Histoire de jouets

> *Si je retournais dans le monde, j'aurais toujours dans ma poche un bilboquet, et j'en jouerais toute la journée pour me dispenser de parler quand je n'aurais rien à dire.*
>
> Jean-Jacques Rousseau
> Extrait de *Les Confessions*

> *Il faut jouer pour devenir sérieux.*
>
> Aristote

Bien que le mot « jouet » ne soit apparu qu'à la Renaissance, l'objet en soi existe depuis l'Antiquité[1]. En effet, certaines fouilles archéologiques effectuées dans des tombes d'enfants de même que l'étude de fresques, de bas-reliefs ou de peintures nous apprennent que de nombreux jouets existaient déjà à cette époque. Il existe toutefois une certaine controverse quant à l'origine exacte de plusieurs d'entre eux. Diverses sources donnent des informations parfois contradictoires. Malgré tout, essayons de retracer leur histoire afin de mieux les connaître.

> **Saviez-vous que…**
>
> On a retrouvé dans la tombe d'une fillette grecque d'Érétrie (325-300 av. J.-C.) une soixantaine de jouets dont une table, un lit de plomb, un hochet en terre cuite et une toupie[2].

Des jouets à différentes époques[3]

Dans l'Antiquité, on retrouvait en Égypte des hochets, des balles, des billes, des poupées et des figurines humaines miniatures dont certaines étaient en plomb, par exemple des soldats. Il y avait également des animaux articulés ou montés sur roulettes, de petits chariots miniatures et des toupies.

Dans la Rome ancienne et en Grèce, les enfants jouaient avec des pièces d'armement miniatures, des balançoires, des balles, des cerceaux, des dînettes (service de vaisselle en miniature), des chevaux sur bâton ou à bascule, des pantins, des marionnettes, des toupies et des yo-yos. Au Moyen Âge, on a vu apparaître les cerfs-volants et les bulles de savon et à la Renaissance, le bilboquet, la corde à sauter et la fronde.

Oui, les jouets ont accompagné les enfants dans leurs jeux depuis l'Antiquité, mais certains d'entre eux n'avaient pas qu'une fonction ludique et n'étaient pas utilisés que par les enfants. Voyons l'origine et la description de quelques-uns de ces jouets plus en détail.

L'origine de certains jouets

La poupée

Étymologiquement, le mot « poupée » provient du terme latin *pupa*, qui signifie « petite fille ». Chez les Grecs, les premières poupées remonteraient au Ve siècle avant Jésus-Christ[4] : il s'agissait de figurines dont les bras et les jambes étaient mobiles. Avec l'expansion de la culture grecque, les poupées se sont répandues dans toutes les régions méditerranéennes. Elles possédaient toutes sortes d'accessoires tels que des bijoux, et étaient accompagnées de meubles et de poteries faits à leur taille.

Chez les Égyptiens, des poupées datant d'aussi loin que 3 000 ans ont été trouvées dans des tombes[5].

Les poupées étaient faites de différentes matières — chiffons, os, bois dur, terre cuite — et les plus luxueuses étaient en ivoire[6]. Les plus belles poupées de l'Antiquité datent de la période romaine. Dans le sarcophage d'une jeune fille de 13 ans, on a trouvé une poupée en ivoire avec divers accessoires : des peignes, des miroirs, des bracelets et un coffret à bijoux.

Lorsqu'on s'est mis à fabriquer des poupées aux membres articulés, on a commencé à les qualifier véritablement de jouets. Auparavant, elles étaient plutôt considérées comme des idoles ou des statuettes de fécondité. Pas étonnant, alors, d'apprendre que les jeunes filles offraient leur poupée aux dieux, la veille de leur mariage, pour symboliser la fin de leur enfance et pour qu'ils leur procurent fertilité et bonheur[7].

Plus tard, l'Europe devient un important producteur de poupées en bois[8]. Au XVIIe siècle, les poupées sont plus raffinées, avec leurs yeux de verre, leurs membres en peau d'animal et leurs cheveux peints[9]. Au siècle suivant, les poupées à tête de cire connaissent leur moment de gloire, tandis que les poupées de porcelaine apparaissent plutôt au début du XIXe siècle. La production commerciale des poupées de chiffon commence quant à elle dans les années 1850 en Angleterre et aux États-Unis. Dix ans plus tard, on développe de nouveaux modèles en celluloïd, un matériau qui continue à être utilisé dans la fabrication des poupées jusque dans les années 1950. Par la suite apparaissent les poupées en vinyle, en caoutchouc et en caoutchouc-mousse. L'utilisation du vinyle permet de piquer plusieurs mèches de cheveux sur la tête de la poupée plutôt que d'avoir à peindre la chevelure ou à utiliser des perruques.

Le hochet

L'invention du hochet est attribuée à un contemporain et disciple de Platon : Archytas de Tarente. L'objet pouvait être fait en terre cuite ou en métal, constitué en forme de disque ou d'animal et contenir soit des grains, des cailloux ou des grelots[10]. D'autres, plus rudimentaires et faits en bronze, étaient accrochés au cou de l'enfant.

Les hochets servaient non seulement à amuser l'enfant, mais aussi à le protéger du mauvais œil et à écarter les esprits malfaisants, faisant en quelque sorte office d'amulettes. Ainsi, au Moyen Âge, certains contenaient une dent de loup qui, selon la croyance populaire, chassait l'esprit malin. Le hochet avait donc une fonction magique et prophylactique, tendant à protéger l'enfant de la maladie et de la mort. Les crécelles et tous les jouets sonores étaient également investis d'un rôle magique semblable. Ils n'avaient donc pas la seule fonction de jouets.

Au XVe siècle, les hochets étaient destinés aux fils d'artisans et de bourgeois. Certains de ces jouets, faits en corail et garnis de métal précieux, sont par la suite devenus des objets de luxe au XVIIIe siècle. Jean-Jacques Rousseau s'est élevé contre cette idée.

> *On ne sait plus être simple en rien, pas même autour des enfants. Des grelots d'argent, d'or, du corail, des cristaux à facettes, des hochets de tout prix et de toute espèce : que d'apprêts inutiles et pernicieux! [...] de petites branches d'arbre avec leurs fruits et leurs feuilles, une tête de pavot dans laquelle on entend sonner les graines, un bâton de réglisse qu'il peut sucer et mâcher, l'amuseront autant que ces magnifiques colifichets, et n'auront pas l'inconvénient de l'accoutumer au luxe dès sa naissance*[11].

Au début du XXe siècle, le matériau utilisé dans la fabrication du hochet est le celluloïd. Peint de couleurs vives et garni de graines, ce jouet permettait l'émission de sons lorsque l'enfant le secouait. Depuis la fin de la Deuxième Guerre mondiale, l'alliance urée-formol, dont la caractéristique première est d'être anti-allergène, sert à la production des hochets.

Les jeux d'imitation

Dans la Rome ancienne, certains jouets servaient à imiter les adultes à la guerre et aux combats. Il y avait des armes miniatures, tels des épées, des boucliers, des chevaux sur bâtons, des arcs et des flèches. Ces jouets étaient fabriqués en bois pour les pauvres et en ivoire, ramené d'Asie et d'Afrique, pour les riches.

En Grèce, en Italie et en Gaule romaine, on a découvert des services à vaisselle et du mobilier miniature en terre cuite : petits plats, vases, paniers, tables, chaises, lits avec berceaux. Les filles jouaient à faire la cuisine avec des ustensiles miniatures et utilisaient le mobilier pour jouer à la poupée.

À compter du XVIIe siècle, les parents ont commencé à considérer le jouet comme un outil de pédagogie plutôt qu'un simple objet ludique[12]. Les enfants étaient formés dès leur enfance à devenir des adultes. Ils jouaient donc à imiter les adultes dans leurs occupations et leurs fonctions. On considérait alors que les jeux de guerre développaient l'esprit patriotique des garçons. Les figurines d'animaux et les constructions de ferme leur permettaient d'apprendre leur futur métier d'agriculteur. Quant aux services à vaisselle et aux poupées, ils visaient à apprendre aux fillettes leur rôle de maîtresse de maison en plus de développer leur fibre maternelle.

Les jouets à roulettes, à bascule et les chariots

Beaucoup de jouets à roulettes et à bascule représentant des animaux, domestiques ou sauvages, étaient faits en bois, en plâtre ou en argile. Une ficelle accrochée au museau de l'animal permettait à l'enfant de le tirer derrière lui.

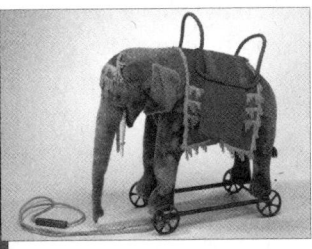

William Van Horne (1907-1946), petit-fils de William Cornelius Van Horne (1843-1915) qui fut président du chemin de fer du Canadien Pacifique, s'amusant avec l'éléphant à roulettes.
©Musée McCord

Des chariots de taille réduite pouvaient aussi être tirés par l'enfant. On estime que les plus anciens ont été fabriqués 2 000 à 2 250 ans avant J.-C. Lorsque le chariot était de la taille de l'enfant, un animal de trait ou d'autres enfants le tiraient. Ces jouets étaient cependant réservés aux enfants riches.

Les jeux d'adresse[13]

Les jeux d'adresse étaient très présents dans l'Antiquité. Certains sont encore connus de nos jours.

La balle[14]

À cause de sa forme sphérique, la balle était perçue comme l'emblème du globe solaire, symbole de la vie. La balle lancée traversait les airs, comme le soleil dans sa course, tandis que celle qui tombait avait une connotation funèbre.

Au début, la balle était rembourrée de son ou de laine. Le matériel était maintenu dans une enveloppe de peau. Plus tard, elle fut constituée de cuir ou de tissu et remplie de poils, de plumes, de paille ou de jonc. Elle pouvait aussi être remplie d'air afin de la rendre très légère.

Les Grecs jouaient à la balle au mur. Ce jeu de paume était surtout pratiqué par les adolescents et les jeunes filles. On y jouait également avec des battes ou des raquettes.

Le yo-yo

Avec la toupie et le diabolo, le yo-yo est considéré comme l'un des plus vieux jouets du monde.

Il est composé de deux disques reliés par un pivot central autour duquel s'enroulait une ficelle, ressemblant à ceux qu'on retrouve encore de nos jours. Appartenant à la catégorie des jeux d'adresse et de force, le yo-yo était surtout l'apanage des enfants. La façon d'y jouer était la même qu'aujourd'hui : on laissait tomber le yo-yo vers le sol, puis le jouet remontait aussitôt, mû par un mouvement de la main, la ficelle s'enroulant et se déroulant autour de l'axe central.

Connu chez les Égyptiens et les Grecs, le yo-yo est tombé dans l'oubli pendant plusieurs siècles. Il est réapparu en France avant la Révolution française sous le nom d'«émigettre». Il était le jouet à la mode à la cour des rois de France et peu à peu, a envahi l'ensemble de l'Europe. Sous le nom de «yo-yo», il a connu un nouveau succès dans les années 1930 et après la Deuxième Guerre mondiale[15].

Le diabolo

Le diabolo est pour sa part composé de deux calottes fixées par un boulon à un axe métallique. Deux baguettes reliées par un fil, sur lequel repose le diabolo, permettent de le faire tournoyer, de le projeter dans les airs et de le rattraper sur la ficelle.

Le diabolo est une discipline de la jonglerie. On observe souvent des artistes chinois en jouer avec brio. C'est d'ailleurs en Chine que le diabolo aurait vu le jour, il y a plus de 2 000 ans[16]. D'autres sources situent cependant sa naissance à 4 000 ans avant J.-C.[17]. Ce jeu d'adresse a été introduit en Angleterre vers la fin du XVIIIe siècle et est devenu très populaire en France au début du XIXe siècle.

Au début, ce jouet était fait en bambou et percé de petits trous. Ainsi, en tournant, il produisait un petit sifflement. On le surnommait « le diable » à cause de ce bruit (ce qu'évoque aussi l'expression « boucan du diable »). En France, les jeunes filles de même que des hommes éminents y jouaient dans les salons, au péril des miroirs et des objets de porcelaine. Jusqu'alors fabriqué en bois, Gustave Philipart l'a fait renaître en métal vers 1900. À partir des années 1950, il connaît un regain de popularité. Les diabolistes de tous les niveaux se retrouvent régulièrement lors de rassemblements de jonglerie.

Le bilboquet

Parmi les jeux d'adresse, on retrouve également le bilboquet. Il est composé d'une tige, souvent en bois, mais parfois en ivoire, en os ou en plastique, reliée par une cordelette à une boule percée d'un trou d'un diamètre ajusté à la tige. Le jeu consiste, par un mouvement d'adresse effectué d'une seule main, à lancer la boule retenue par la ficelle de façon à ce qu'elle retombe sur la tige et s'y enfile.

Son nom français proviendrait de « Bil le Bocquet », terme qui désigne la pointe d'un javelot[18]. Ce jouet a été présent dans de nombreuses cultures et époques sous différentes appellations. Le bilboquet est apparu en France vers 1574. Le roi Henri III semble l'avoir rendu populaire: il aimait jouer au bilboquet tout en déambulant dans les palais et les rues de Paris.

Chez les Inuits, le bilboquet était plutôt sculpté dans des os des animaux qu'ils chassaient. Doté, par tradition, d'un grand pouvoir magique, le bilboquet se jouait en hiver ou au début du printemps, car le jeu était censé hâter le retour tant attendu du soleil[19].

La toupie

La toupie fait partie des tout premiers jeux imaginés par l'homme. Les plus anciennes toupies dateraient d'environ 3 500 ans avant J.-C.[20]. De grands auteurs grecs, comme Platon, en parlent dans leurs œuvres. Toutefois, le nom « toupie » n'apparaît qu'au XIVe siècle.

Présent dans tous les pays, ce jouet présente au fil du temps des caractéristiques et des matériaux divers: bois, métal, plastique, forme ronde, conique, faisant de la musique…

Au Québec, la petite toupie de bois qu'on tente de faire tourner à l'aide d'une cordelette est appelée « moine » et a donné lieu à une chanson qui fait dorénavant partie du folklore: « Ah! Si mon moine voulait danser… »

Les jeux de hasard

Les billes[21]

Initialement, les billes étaient soit des cailloux, soit des noix. Dans l'Antiquité, les enfants nobles et ceux qui allaient à l'école disaient d'ailleurs « jouer aux cailloux ». Sinon, les billes étaient faites en terre cuite ou en métal. Les Grecs utilisaient quant à eux des noyaux d'olives et des glands pour jouer.

Le jeu consistait à se placer à deux mètres d'un récipient et à y lancer les billes. Si le lancer était réussi, le joueur gagnait un point. Le vainqueur était celui qui mettait le plus de billes dans le récipient. Ce jeu est assez semblable au jeu de billes d'aujourd'hui.

Les osselets

Créé par les Asiatiques, le jeu d'osselets est l'ancêtre du jeu de dés. Certains osselets ont été retrouvés dans des tombes d'enfants datant de 2 000 avant J.-C., près de Delphes.

Au départ, on employait les osselets pour prédire l'avenir. De nombreux osselets trouvés dans les temples laissent supposer qu'ils servaient aussi à consulter les dieux. Plus tard, l'osselet est devenu un jeu d'adresse. On y jouait avec les petits os du pied du mouton, avant qu'il soit fait en pierre ou en métal.

La figure de base de ce jeu consiste à lancer cinq osselets en l'air et à essayer de les attraper sur le dos de la main. Le joueur relance ensuite ceux qu'il n'a pas pu attraper et tente de refaire l'exercice, cette fois-ci avec la paume de la main.

Il existe aujourd'hui des osselets en plastique. Toutefois, leur trop grande légèreté rend le jeu presque impossible à réussir.

Les dés

Le mot « dé » se prononce *alea* en latin, ce qui signifie hasard. Les jeux de dés dateraient des temps préhistoriques[22]. Pour y jouer, on mélangeait les dés dans des gobelets, puis on les renversait sur une surface et on calculait les points selon le chiffre obtenu. Au Moyen Âge, les dés pouvaient être faits en ivoire, en argent ou en bronze[23].

Les jeux de société

Les jeux de société remontent au moins à l'époque de l'Égypte antique. Les grands pharaons jouaient certainement au backgammon puisqu'un jeu complet a été découvert dans la tombe de Toutankhamon. Toutefois, les règles pour jouer devaient être différentes de celles d'aujourd'hui, car celles-ci ont été fixées dans les années 1740 par l'Anglais Edmond Hoyle[24].

Les ancêtres des jeux de dames et d'échecs sont également apparus très tôt. Le plus vieux d'entre eux a été trouvé en Inde au VIe siècle[25].

Le parchési[26], également connu sous le nom de « parcheesi », « pachisi » ou « parchisi », est considéré comme le jeu national en Inde. Les plus vieilles inscriptions qui y font référence proviennent des temples d'Ellora. Elles datent du XVIe siècle, mais on croit que l'invention du jeu remonterait au VIe siècle et peut-être même plus tôt. Il s'est par la suite répandu partout dans le monde, au hasard des échanges commerciaux. Parchési signifie « 25 », soit le plus haut pointage qu'on puisse obtenir en jetant les dés dont on se sert lorsqu'on y joue. Le but du jeu ? Placer le premier ses quatre pions dans la case centrale nommée « maison ».

Saviez-vous que...

Les jeux de société ont connu des bouleversements depuis les années 1930. La première de ces révolutions est incarnée par le Monopoly®, créé durant les années de la crise économique et devenu depuis l'archétype des jeux « économiques ». D'autres jeux populaires voient le jour par la suite. En 1950 apparaît le jeu de *Scrabble*, en 1974, Donjons et Dragons® — qui invente le jeu de rôle — et, en 1984, le Trivial Pursuit®[27].

Imité à de très nombreuses reprises, le Monopoly® reste toutefois le jeu le plus vendu depuis plus de 90 ans.

L'époque précise de l'apparition des cartes à jouer dans l'histoire humaine est quant à elle inconnue. Leur origine remonte néanmoins certainement jusqu'à la Chine ancienne, lors de l'invention du papier[28]. Certains prétendent que les premières cartes avaient une double fonction, servant à la fois de monnaie et de jeu. Les Chinois les utilisaient sous une forme rudimentaire dès le VIIe siècle. Les cartes à jouer sont par la suite apparues en Europe, à peu près à la fin du XIVe siècle. Fabriquées et peintes à la main par des artistes reconnus, rehaussées d'or fin, les premières cartes à jouer étaient réservées à l'élite fortunée. Toutefois, à compter de 1420, des fabricants suisses et allemands ont commencé à produire des jeux par milliers, utilisant des procédés de fabrication plus économiques[29].

Les jeux vidéo et le cyberjouet

Les jeux vidéo nécessitent un dispositif informatique comme un ordinateur ou une console de jeu; le joueur intervient alors dans un environnement virtuel[30].

C'est dans les années 1970 que le grand public a découvert les premiers jeux vidéo. La première console de jeux, l'Odyssey, de Magnavox[31], a fait son apparition sur le marché en 1972. Branchée sur le téléviseur, cette console offrait 13 jeux sur 6 cartouches ainsi qu'un pistolet avec lequel quatre jeux additionnels étaient disponibles. Le jeu Pong®, d'Atari, est mis en vente en 1975. Deux ans plus tard, Nintendo lance ses premières consoles de jeux vidéo: les TV Game 6, TV Game 15 et TV game 112[32]. En 1980, la société Namco crée Pac-Man®, un jeu mettant en vedette un personnage emblématique. Son créateur, le japonais Iwatani, a eu l'inspiration pour ce personnage en mangeant une pizza, ce qui en explique la forme[33]. En 1982, le Commodore 64, premier ordinateur personnel vendu à plusieurs millions d'exemplaires, offre de nombreux jeux vidéo : tennis, ping-pong, sauvetage en hélicoptère, Pac-Man®, pour n'en nommer que quelques-uns. La compagnie Nintendo produit le jeu Donkey Kong® en 1981. On y découvre Mario, qui réapparaît en 1983 dans le jeu Mario Bros® avec son frère Luigi. Trois ans plus tard paraît Super Mario Bros®, l'un des jeux vidéo les plus vendus et connus au monde.

Quant au cyberjouet, il apparaît à la fin des années 1990. Ainsi, le « Tamagotchi », inventé par Aki Maïta de la société japonaise Bandaï, est commercialisé en 1995[34]. Cette créature virtuelle requérait de nombreux soins. L'enfant devait le nourrir, le soigner, le faire jouer, le changer, éteindre la lumière pour le laisser dormir. Il s'agissait de véritables besoins de la part du « Tamagotchi », qui pouvait mourir si personne ne s'en préoccupait. L'enfant était averti de ces besoins par des messages sur son écran et devait répondre en appuyant sur des touches précises. Par la suite, un chien robot a été mis en marché au Japon. Depuis ce temps, la technologie de la robotique est utilisée dans la fabrication des jouets traditionnels.

Matériaux et fabricants des jouets au fil des ans

Comme nous l'avons évoqué précédemment, de l'Antiquité au milieu du XIXe siècle, les principaux matériaux utilisés dans la fabrication des jouets étaient l'argile, le bois, certains métaux (laiton, cuivre), l'albâtre, la cire, le stuc, le papier mâché, le carton, l'os et l'ivoire[35]. Les jouets en terre cuite, tout comme ceux en plomb et en étain, étaient fabriqués en série à partir de moules alors que ceux en bois étaient sculptés.

Vers 1870, en pleine révolution industrielle, les usines de jouets se multiplient, les prix diminuent et tous les enfants, quel que soit leur niveau social, peuvent désormais en profiter. Peu à peu, les jouets en bois et en papier mâché laissent leur place au métal.

Puis, les jouets en tôle imprimée envahissent le marché : petites cuisines et toupies font le bonheur des enfants. Les bateaux de guerre en tôle apparaissent à leur tour vers 1900.

> ### Saviez-vous que…
> Frank Hornby, habitant de Liverpool, réalise pour ses enfants un petit jeu d'assemblage de pièces en métal. Il dépose en 1901 le brevet du célèbre jeu qui prendra, en 1907, le nom de Meccano[36].

Par la suite, on s'intéresse à de nouveaux matériaux tels que le caoutchouc, l'aluminium et le plastique tout en perfectionnant la transformation des matériaux traditionnels. Ainsi, on révolutionne l'utilisation du fer-blanc grâce aux machines à découper et à estamper. Quant au plastique, il offre de nouvelles possibilités de couleurs et de formes.

Au cours du XXe siècle, de nombreux accessoires complètent les jouets, ce qui multiplie les possibilités de jeu. À partir des années 1930, le jouet s'inspire d'images tirées de livres illustrés, de la littérature enfantine et du cinéma. Le règne des produits dérivés, de l'internationalisation des jouets et du cyberjouet débute au dernier quart du siècle.

Des maisons françaises et allemandes font figure de proue dans la fabrication de jouets, entre autres dans l'industrie de la poupée[37]. À la fin de la Première Guerre mondiale, les Américains et les Japonais commencent aussi à fabriquer des jouets. Après avoir été vendu dans les ateliers des fabricants, sur les lieux de pèlerinage, dans les foires ou par des colporteurs, le jouet se retrouve dans les grands magasins à partir des années 1850, puis dans les catalogues, qui apparaissent au début du XXe siècle. À partir de la fin des années 1950, on commence à en faire le marketing et la promotion à la télévision.

Au fil des siècles, les jouets ont pris une place importante dans la vie de l'homme. Force est de constater que plusieurs des jouets d'hier sont encore présents dans la vie des enfants d'aujourd'hui. Un nouveau tournant semble avoir été pris avec l'invention de l'électronique et de l'informatique, des technologies qui multiplient les robots, les consoles de jeux et les jeux vidéo. L'avènement du virtuel et ses impacts sur le développement de l'enfant commencent à être évalués.

Notes

1. B. Girveau. *Le jouet - Un monde offert aux enfants*. Paris: Gallimard, 2011.
2. *Ibid.*
3. www.jocari.be/products.php?cat=442 [consulté le 7 mai 2013].
4. www.sculfort.fr/poupees/vademecumpoupees_files/jeuxantiquite.php [consulté le 23 avril 2013].
5. www.articlesbase.com/home-and-family-articles/dolls-toys-from-antiquity-620661.html [consulté le 7 mai 2013].
6. http://fr.wikimini.org/wiki/Jouet_de_la_Rome_antique [consulté le 23 avril 2013].
7. http://fr.wikimini.org/wiki/Jouet_de_la_Rome_antique#Les_charrettes_et_les_chariots [consulté le 25 avril 2013].
8. http://acoeuretacris.centerblog.net/6583826-histoire-antiquite-divers-jouets [consulté le 23 avril 2013].
9. www.crealyse.com/images/stories/pdf/cyberculture/kubiczek_histoire_jeux_et_jouets_2008.pdf [consulté le 5 janvier 2013].
10. H. Dienot. « Les jeux de l'Antiquité ». *Histoire Antique* n°31 de mai/juin 2007.
11. J.-J. Rousseau. *Émile ou de l'Éducation*. Paris: Garnier, 1957. Tome 1.
12. www.crealyse.com/images/stories/pdf/cyberculture/kubiczek_histoire_jeux_et_jouets_2008.pdf [consulté le 28 mai 2013].
13. www.jeux-jouets.fr/jeux-d-adresse_categorie-5.html [consulté le 12 avril 2013].
14. http://college.belrem.free.fr/loisirom/jeux/jeux.htm [consulté le 12 avril 2013].
15. www.jocari.be/proddetail.php?prod=ayoyo#historique [consulté le 12 avril 2013].
16. www.2diabolos.com/fr/figure/394_histoire-du-Diabolo.html [consulté le 12 avril 2012].
17. www.crealyse.com/images/stories/pdf/cyberculture/kubiczek_histoire_jeux_et_jouets_2008.pdf [consulté le 13 janvier 2013].
18. http://archives-lepost.huffingtonpost.fr/article/2010/10/19/2272467_le-bilboquet.html [consulté le 8 mai 2013].
19. F.V. Grundfeld. *Jeux du monde - Leur histoire, comment les construire, comment y jouer*. Genève: Éditions Lied, 1979.

20. www.c-vu.com/article/109.html [consulté le 8 janvier 2013].
21. http://fr.wikimini.org/wiki/Jouet_de_la_Rome_antique#Les_billes_antiques [consulté le 15 juin 2013].
22. http://fr.wikipedia.org/wiki/D%C3%A9#Histoire [consulté le 15 mars 2013].
23. www.cndp.fr/crdp-toulouse/spip.php?page=dossier&article=150&num_dossier=104 [consulté le 15 mars 2013].
24. http://bckg.pagesperso-orange.fr/french/accueil.htm [consulté le 25 mars 2013].
25. www.crealyse.com/images/stories/pdf/cyberculture/kubiczek_histoire_jeux_et_jouets_2008.pdf [consulté le 13 janvier 2013].
26. www.udenap.org/groupe_de_pages_06/parchesi.htm [consulté le 25 mars 2013].
27. www.gralon.net/articles/sports-et-loisirs/loisirs/article-les-cartes-a-jouer---histoire-et-evolutions-2826.htm#une-origine-incertaine [consulté le 9 mars 2013].
28. www.jeuxdecartes.net/cartes/histoire/17 [consulté le 18 mars 2013].
29. www.lestoutespremieresfois.com/4-le-debut-de-lhistoire/les-tout-premiers-jeux-de-societe [consulté le 3 février 2013].
30. www.linternaute.com/dictionnaire/fr/definition/jeu-video/ [consulté le 25 janvier 2013].
31. http://lepetitinfographiste.over-blog.com/pages/Lhistoire_des_consoles_de_jeux_videos-5931393.html [consulté le 25 janvier 2013].
32. www.planetemu.net/article/l-histoire-de-nintendo [consulté le 17 janvier 2013].
33. www.dormir-moins-con.com/quel-est-lorigine-du-jeu-pacman [consulté le 12 janvier 2013].
34. www.crealyse.com/images/stories/pdf/cyberculture/kubiczek_histoire_jeux_et_jouets_2008.pdf [consulté le 13 janvier 2013].
35. B. Girveau. *Op. cit.*
36. www.mesminiatures.com/histoire/miniature/meccano.php [consulté le 3 février 2013].
37. B. Girveau. *Op. cit.*

Histoire de jouets 39

Crédits photos

Page 21
Figurine de femme *(Paddle-doll)*. Provient d'une tombe des Asasif. Deir el-Bahri, Ouest de Thèbes. XIe dynastie. Bois, boue du Nil. 23 cm, Musée d'Égypte, Caire, Égypte.
©Scale/Art Resource, NY

Page 22
Poupée avec des membres articulés. Grèce antique, IIIe siècle avant J.-C. Terre cuite. 15,40 cm. Cp 4654. Photo : Herve Lewandowski. Musée du Louvre, Paris, France.
©RMN-Grand Palais/Art Resource, NY

Page 23
Sistrum Strozzi. Bronze étrusque. Museo Archeologico, Florence, Italie.
©Nicolo Orsi Battaglini/Art Resource, NY

Page 24
Hochet « Flower Rattle » en forme de fleur de la marque Fisher-Price®, 1977.

Page 25
Animal en peluche, éléphant. M970.23.43.1
©Musée McCord
Master William Van Horne chez lui, Montréal, QC, 1909. II-172906. Photographie. Wm. Notman & Son.
©Musée McCord

Page 26
Garçon jouant au yo-yo. Kylix attique (coupe à figure rouge). Vers 440 avant J.-C. 20,9 cm. Inv. F 2549. Photo : Johannes Laurentius. Antikensammlung, Saatliche Museen, Berlin, Allemagne.
©bpk, Berlin/Art Resource, NY

Page 27
Diabolo. Premier tiers du XXe siècle. Métal blanc. Longueur : 75 mm. Largeur : 65 mm. Le Musée du Diabolo.
www.museediabolo.fr

Page 28

« Un humble admirateur de votre grande adresse. Avec ses compliments, vous offre sa tendresse. » Carte postale, début 1900. Le Musée du Diabolo. www.museediabolo.fr

Page 29

Jouer avec une toupie. Bas-relief. Période Néo-Hittite. Carchemish, Turquie. Musée des Civilisations Anatoliennes, Ankare.
©Giani Dagli Orti/The Art Archive at Art Resource, NY

Toupie en céramique. Époque classique. 5 cm. Photo : Herve Lewandowski. Musée du Louvre, Paris, France.
©RMN-Grand Palais/Art Resource, NY

Page 30

Osselets naturels
http://fr.wikipedia.org/wiki/Osselets_(jeu)

Chapitre 2

Des jouets, des jouets et encore des jouets

> *Une des grandes énigmes de mes premières années,*
> *en dehors de l'énigme de la naissance, fut le mécanisme de la*
> *descente des jouets de Noël à travers la cheminée. J'échafaudais*
> *des raisonnements byzantins à propos des jouets trop grands*
> *pour pouvoir logiquement passer dans la cheminée,*
> *le père Noël les ayant lâchés d'en haut.*
>
> Michel Leiris,
> *L'Âge d'homme*

> *Il [le jouet] est un appui solide qui prend toute sa valeur*
> *lorsqu'il accompagne, reflète et symbolise les habitudes, les*
> *comportements, les apprentissages et les échanges*
> *qui doivent présider à l'éducation.*
>
> André Michelet

De nos jours, les jouets dont disposent les enfants sont fort nombreux. Selon Danielle Charbonneau[1], coordonnatrice du dossier jouets à Option consommateurs*, on peut identifier deux changements majeurs dans le monde des jouets au Québec au cours des dernières

---

* Option consommateurs est une association sans but lucratif qui a pour mission de promouvoir et de défendre les intérêts des consommateurs ainsi que de veiller à ce qu'ils soient respectés.

décennies. D'abord, il y a de plus en plus de jouets dérivés de films, d'émissions de télévision et de livres. Il suffit de penser, par exemple, aux personnages d'*Histoire de jouets*, à Dora l'exploratrice®, à Batman®, à PopPixie®, aux Power Rangers® ou aux princesses Disney®. Ensuite, on observe une plus grande production de jeux de société, qui s'adressent tant aux enfants qu'aux adultes, ce que confirme Marc Fournier, directeur recherches et développement aux Éditions Gladius International :

> *Nous avons remarqué qu'il y a un fort retour vers les jeux de société au Québec. Peut-être que le contexte économique y est pour quelque chose, mais une chose est certaine, les gens ont envie de passer du bon temps ensemble, et il n'y a aucune console vidéo qui peut remplacer les émotions que nous fait vivre un jeu de société*[2].

Dans le présent chapitre, nous identifierons la contribution possible de jouets et de jeux de différentes catégories au développement de l'enfant, selon son âge. Nous apporterons également certaines précisions concernant leur utilisation.

Partons donc à la découverte des jouets d'aujourd'hui.

Jouets à toucher

Le hochet

Jouet du premier âge, le hochet stimule l'ouïe, la vue et le toucher du bébé. Celui-ci regarde et écoute le hochet que papa ou maman agite devant lui, et il peut le tenir en main, même s'il y parvient d'abord grâce au réflexe d'agrippement. Vers 4 à 6 mois, il commence à s'en saisir volontairement et arrive quelque temps plus tard à le faire bouger tout seul. Ce type de jouet suscite la curiosité du bébé, lui permet de pratiquer des mouvements et des gestes simples (saisir, serrer, taper, secouer) et l'incite à être actif, car s'il veut reproduire le bruit entendu, il doit secouer de nouveau le jouet.

Avant 3 mois, le bébé peut se faire mal avec un hochet en bois ou en plastique rigide, car ses gestes sont parfois brusques. Mieux vaut privilégier un hochet en celluloïd.

Les peluches

Les peluches représentent le plus souvent des animaux*. Elles sont douces au toucher et faciles à saisir par les tout-petits. Elles ne doivent toutefois pas être trop grosses et remplir le lit du bébé.

Une peluche est un jouet évolutif dont la fonction se modifie à mesure que l'enfant grandit. Tout petit, le bébé aime la toucher. Quand il sait marcher, il traîne sa peluche préférée avec plaisir. Dans son jeu de « faire semblant », elle devient un compagnon de jeu très docile : l'enfant peut lui assigner le rôle de son choix. Il peut aussi lui confier ses peines, ses peurs et ses joies.

---

* Avez-vous déjà remarqué à quel point les animaux sont présents dans la vie des enfants ? Il y a bien sûr les peluches, mais on les retrouve aussi dans les livres d'images, les histoires, les dessins animés et les personnages pour jouer à « faire semblant ».

Il arrive que l'enfant donne le statut de « doudou » à l'une de ses peluches. Un doudou est un objet important. Investi d'une valeur toute particulière, il apporte à l'enfant soutien et réassurance, surtout lors des transitions entre l'éveil et le sommeil, la maison et le milieu de garde, le jour et la nuit. « Ce jouet (doudou) accompagne l'enfant partout, lui donne du courage et l'impression qu'il n'est pas seul[3]. »

Comme ce doudou est susceptible de suivre l'enfant pendant quelques années, il est à souhaiter que le choix de l'enfant se porte sur une peluche lavable à la machine. Même s'il devient usé et défraîchi, l'enfant voudra le conserver précieusement puisqu'il a une forte valeur affective pour lui.

Nathan

Nathan, 18 mois, adore son lapin en peluche. Il le trouve tellement doux! Il le traîne partout avec lui. Le soir, il appuie sa joue dessus et cela l'aide à s'endormir. Le matin, dès son réveil, Nathan lui donne un gros bisou.

Le tapis d'éveil et le tableau d'activités

Un tapis d'éveil, fait de différentes textures et composé de couleurs variées, suscite l'intérêt du bébé. Celui-ci apprécie sa douceur et la stimulation tactile qu'il reçoit sur toutes les parties non couvertes de son corps. Un tel tapis peut inciter le bébé à accepter plus facilement la position couchée à plat ventre, position qui peut contrer l'aplatissement de la partie postérieure de sa tête. À compter de 4 mois environ, l'enfant est stimulé par les couleurs du tapis. Puis, vers l'âge de 6 mois, il prend plaisir aux diverses activités que ce type de jouet offre : tirer une ficelle pour sortir un petit animal caché dans une pochette, appuyer sur une surface qui fait alors entendre un bruit, toucher aux divers objets qui y sont maintenus à l'aide d'un velcro.

Il existe aussi des portiques d'activités sous lesquels le petit peut être couché. Avec ses mains et ses pieds, il peut actionner des éléments sonores et lumineux. À compter de 6 mois, il apprécie l'effet que le jouet produit grâce à ses mouvements et cherche à bouger de nouveau pour les reproduire.

Des tableaux d'activités sont également disponibles. On les fixe aux barreaux du lit ou on les pose à plat sur le sol. Différents gestes du bébé sont stimulés : faire tourner une petite roue, faire glisser un petit chien sur un rail, enfoncer un bouton. L'ensemble de ces gestes ne sera pas acquis par l'enfant avant l'âge de 18 mois. C'est donc un jouet qui suscitera un intérêt renouvelé chez lui à mesure que ses habiletés lui permettront de nouveaux gestes. Il est toutefois préférable de ne pas laisser en permanence le tableau d'activités dans le lit du bébé. En le retirant pour le remettre quelques jours plus tard, l'enfant aura l'impression de le redécouvrir et cela lui évitera une certaine lassitude.

Jouets pour la baignoire

Quand l'enfant est dans le bain, il enregistre la sensation tactile de l'eau sur son corps. Certains jouets comme les livres en plastique, les jouets qui flottent ou qui permettent de remplir, de vider et de transvaser, les animaux gicleurs et les jouets qui arrosent quand on les presse sont spécialement conçus pour aller dans l'eau. Ces jouets intéresseront l'enfant à partir du moment où il pourra tenir la position assise; ses mains seront alors libérées pour pouvoir toucher et manipuler les jouets.

Jouets à écouter et jouets musicaux

Le mobile musical

Une autre catégorie de jouets susceptibles d'intéresser l'enfant dès ses premiers mois de vie concerne les jouets à écouter. Le premier que le bébé découvrira est probablement le mobile musical. Une fois le mécanisme remonté, ce jouet, en plus de tournoyer, laisse entendre une musique qui capte l'intérêt du bébé.

Le livre avec CD

À compter de 2 ans, l'enfant s'intéresse aux livres illustrés accompagnés d'un CD qui augmente son intérêt pour l'histoire. Grâce à la narration, il peut écouter l'histoire tout en regardant les images.

> ### Camélia
>
> À Noël, Camélia a reçu le livre *Pierre et le loup*, accompagné d'un CD. À 3 ans, elle adore regarder les images et tourner les pages tout en écoutant le narrateur raconter l'histoire. Sur le CD, il y a aussi de la musique. Écouter l'histoire de *Pierre et le loup* est une activité que Camélia apprécie encore plus quand elle la fait avec papa ou maman.

Les jouets pour enregistrer

Certains jouets offrent à l'enfant une stimulation auditive à la condition qu'il soit actif. Pensons au magnétophone, cette « boîte magique » qui capte la voix et nous la fait entendre quelques instants plus tard. Pour enregistrer sa voix, l'enfant doit comprendre le fonctionnement de l'appareil : quelle touche permet d'enregistrer, d'écouter, d'effacer. Muni d'un micro, il permet à l'enfant de plus de 4 ans de faire semblant d'être un grand chanteur, d'effectuer une entrevue avec maman ou papa en prétendant être un journaliste ou de capter les bruits environnants comme un naturaliste.

Les instruments de musique

Il existe aussi des jouets permettant à l'enfant de faire de la musique. Pour le tout-petit, il y a, par exemple, le tambour, le xylophone, le piano miniature, les maracas ou la crécelle. Il ne s'agit pas là d'instruments de musique à proprement parler, car à un jeune âge, l'enfant fait davantage de bruit que de la musique.

À compter de 4 ans, l'enfant apprécie recevoir un instrument de musique, mais c'est davantage à l'âge scolaire qu'il est apte à apprendre à en jouer. C'est, en principe, vers l'âge de 7 ans qu'il a plus de chances d'être prêt physiquement et intellectuellement à suivre une formation musicale, car cette période coïncide avec l'apprentissage de la lecture et de l'écriture[4]. L'âge recommandé pour commencer à apprendre à jouer d'un instrument varie cependant en fonction de l'instrument choisi. Cinq ans est un bon âge pour considérer le piano, car l'enfant peut alors utiliser ses mains de façon indépendante. La guitare requiert quant à elle une certaine force pour maintenir la pression sur les cordes. En ce qui concerne les instruments à vent (clarinette, saxophone, tuba…), l'enfant n'a habituellement pas le souffle nécessaire pour produire un son avant l'adolescence.

Jouets sur roues

Les jouets sur roues sont nombreux et il y en a presque pour chaque âge : jouets à tirer, à pousser, à chevaucher, tricycle, trottinette, vélo, patins à roues alignées, planche à roulettes… Chacun de ces matériels de jeu requiert des habiletés particulières de plus en plus complexes.

Les jouets à tirer ou à pousser

Une fois que l'enfant a fait ses premiers pas, il éprouve beaucoup de plaisir à traîner ou à pousser des jouets. Il peut s'agir d'un animal sur roues muni d'une corde qu'il peut tirer ou un autre, muni d'un manche, qu'il peut pousser. Ces jouets permettent à l'enfant de s'exercer à marcher sans que toute son attention soit dévolue aux mouvements à faire. Ses déplacements deviennent ainsi plus automatiques. L'intérêt de l'enfant est d'autant plus grand que le jouet émet un bruit quand il avance.

Vers l'âge de 18 mois à 2 ans, l'enfant aime bien les jouets à roulettes qu'il peut chevaucher et qui ne requièrent qu'une poussée des deux pieds pour avancer. Grâce à cet équipement, il découvre une façon toute nouvelle de se déplacer, car jusque-là, il le faisait en rampant, en déambulant à quatre pattes ou en marchant, donc sans intermédiaire et en ayant un contact direct avec le sol. Avec ce type de jouet, il apprend aussi à tenir des poignées et à les tourner pour changer de direction.

Le tricycle, la trottinette et le vélo

Vers 3 ans, l'enfant est apte à conduire un tricycle. Il s'agit encore d'un nouvel apprentissage pour lui. Des mouvements différents sont requis aux bras et aux jambes pour avancer : l'enfant doit pédaler tout en dirigeant le guidon. Cela demande une bonne coordination de tout son corps. Il doit aussi avoir une bonne perception de l'espace pour s'orienter, évaluer les distances et éviter les obstacles.

Il est sage d'inculquer l'habitude du port d'un casque protecteur dès que l'enfant commence à faire des balades en tricycle ou qu'on l'installe derrière le siège de papa ou maman, en vélo. L'habitude étant prise, il lui sera plus facile de la conserver quand, plus tard, il circulera seul à bicyclette.

Dans la catégorie des jouets sur roues figure aussi la trottinette, qui peut en avoir deux, trois ou même quatre. Son utilisation ne requiert pas de « pédalage », mais demande un bon équilibre pour éviter les chutes, même si la gravité de celles-ci est réduite puisque l'un des pieds touche le sol. Le fait que l'enfant puisse avancer à son rythme, selon l'intensité de la poussée qu'il donne avec sa jambe, est l'un des avantages de la trottinette. C'est généralement vers l'âge de 4 ans que l'enfant réussit à avancer avec cette dernière, surtout si elle a plus de deux roues, lui assurant ainsi davantage de stabilité.

Quant à la bicyclette, elle est moins stable et plus difficile à manier que la trottinette : l'enfant doit atteindre une certaine vitesse pour maintenir son équilibre. En comparaison du tricycle, l'enfant en vélo se retrouve plus loin du sol et il aura plus de difficulté à trouver son équilibre, compte tenu de l'étroitesse des roues. C'est vers l'âge de 6 ans qu'il réussira à conduire une bicyclette.

De petites roues stabilisatrices fixées à l'arrière de la bicyclette facilitent la transition du tricycle à celle-ci. Il existe aussi une barre d'apprentissage qui permet de relier le vélo de l'enfant à celui d'un adulte, l'aidant de la sorte à pédaler à son rythme, bien en sécurité derrière papa ou maman.

Pour favoriser l'apprentissage du vélo par l'enfant (avec ou sans roues stabilisatrices), quelques indications méritent d'être rappelées. D'abord, la selle du vélo doit être placée de façon à ce que l'enfant, lorsqu'il est assis, puisse poser ses deux pieds à plat sur le sol. Il sera alors stable, tant au départ qu'à l'arrêt. Avant ses premiers essais, il faut lui indiquer la bonne position : avoir le dos droit et la tête relevée, bien tenir le guidon et regarder au loin. Il faut aussi, bien sûr, lui expliquer comment utiliser les freins. Pour faciliter le premier contact avec le vélo, on peut suggérer à l'enfant de le pousser en marchant à ses côtés sur une petite distance, alors qu'il regarde toujours devant lui.

Pour l'entraînement, un endroit sans circulation (un stationnement vacant ou un parc très tranquille, par exemple) est tout indiqué. L'enfant doit s'entraîner à monter et descendre seul de son vélo. Pour apprendre à démarrer, une méthode simple consiste à bloquer le vélo en serrant les freins et à lever une pédale sur laquelle l'enfant pose le pied. Il lâche ensuite les freins et pousse sur la pédale pour avancer. Lorsque son autre pied vient se poser sur la deuxième pédale, l'enfant n'a plus qu'à pédaler à un rythme régulier et à tenir le guidon de façon stable pour conserver son équilibre. Il faut cependant s'assurer que les pieds de l'enfant sont correctement posés sur le pédalier.

Pour aider l'enfant, on peut tenir la selle et le guidon du vélo pendant qu'il tente de trouver ses repères avant de rouler tout seul. Quand on sent que l'enfant est apte à le faire, on lâche tout doucement le guidon, puis la selle. Il sera le premier surpris de savoir qu'il est seul à faire rouler sa bicyclette. Ce nouvel apprentissage peut causer quelques maux de dos à l'adulte qui accompagne l'enfant — surtout s'il tarde à trouver son équilibre —, mais le jeu en vaut la chandelle !

Bien sûr, il faut éviter que l'enfant se balade à vélo dans la rue jusqu'à ce que sa conduite soit presque automatique. Les enfants de moins de 10 ans ne devraient d'ailleurs pas se déplacer à bicyclette au milieu de la circulation. Leurs aptitudes physiques et intellectuelles ne leur permettent pas de maîtriser leur bicyclette en toute sécurité au sein d'autres véhicules et ils ne sont pas en mesure de comprendre ce que les conducteurs attendent des cyclistes.

Les patins à roues alignées et la planche à roulettes

Il existe également, pour l'enfant d'âge scolaire, les patins à roues alignées et la planche à roulettes *(skateboard)*. Ces deux engins requièrent beaucoup d'équilibre et un bon contrôle de tout le corps. De plus, l'enfant doit juger correctement de la vitesse et des distances, et être en mesure d'effectuer adéquatement les manœuvres pour éviter des obstacles.

Les patineurs débutants ont souvent tendance à sous-estimer leur vitesse lorsqu'ils s'exécutent et peuvent éprouver de la difficulté à s'arrêter. Il leur arrive également de perdre l'équilibre en raison de dangers ambiants tels que du gravier, des débris, le mauvais état de la route ou des obstacles. La réaction typique d'un patineur débutant est de chuter en ayant les bras tendus, ce qui peut entraîner l'hyperextension des poignets puis leur fracture[5]. Pour toutes ces raisons, l'équipement de l'enfant doit comprendre un casque protecteur — qui peut être le même que pour le vélo —, des protège-poignets et des genouillères.

Pour s'adonner à la planche à roulettes, il est primordial, encore une fois, que l'enfant porte un casque. Il a été démontré que ceux qui n'en portent pas sont 13 fois plus à risque de souffrir de traumatismes crâniens[6]. Le casque requis est cependant différent de celui du cycliste : il couvre une plus grande partie de l'arrière de la tête et est conçu pour résister à plusieurs impacts subis au même endroit. L'équipement de l'enfant doit aussi comprendre des protège-poignets et des genouillères.

Tous les jouets sur roues stimulent la motricité et l'équilibre de l'enfant, en plus de requérir des mouvements qui deviennent de plus en plus complexes. En utilisant ces jouets, l'enfant doit aussi faire preuve de jugement et d'une bonne perception, tant de l'espace que de son corps.

Poupées et figurines

La poupée est, depuis une époque très ancienne, un jouet apprécié des enfants, surtout des filles. Elle se présente sous diverses formes.

La poupée bébé

C'est souvent vers l'âge de 18 mois que l'enfant réclame une poupée. Il est alors attiré par des poupées bébés qu'il peut facilement manipuler. Sa taille doit donc être adaptée à celle de l'enfant, comme un bébé dans les bras de sa mère. Mieux vaut néanmoins éviter la poupée « nouveau-né » au visage tout chiffonné. L'enfant préférera probablement un visage souriant et sympathique. Il éprouvera beaucoup de plaisir à imiter les gestes de ses parents en la câlinant et la berçant. Il appréciera que sa poupée ait des cheveux ainsi que des yeux qui s'ouvrent et se ferment, mais nul besoin qu'elle parle, rit ou pleure.

Vers l'âge de 2 ou 3 ans, la poupée fait partie de l'imaginaire de l'enfant. Il joue à faire semblant d'être sa maman ou son papa : il la met au lit, la lave, la fait marcher, l'endort, la nourrit. Il devient plus compétent pour s'en occuper ; ses gestes sont plus efficaces.

À cet âge, la poupée lui offre aussi la possibilité de reproduire ce qu'il vit, que ce soit ses bons ou ses mauvais moments. Il peut ainsi exprimer les sentiments qu'il ressent (tendresse, jalousie, joie, colère…) et dédramatiser les situations conflictuelles en rejouant les scènes avec sa poupée. Tout cela aide l'enfant à grandir et à prendre confiance en lui.

Si les articulations de la poupée sont souples, l'enfant peut l'asseoir, l'habiller et la déshabiller plus facilement. Encore une fois, nul besoin que la poupée parle, boive ou fasse pipi. Moins la poupée en fera d'elle-même, plus l'enfant sera actif et imaginatif : son jeu n'en sera alors que plus riche.

La poupée enfant

Pour l'enfant de 3 à 6 ans, la poupée représente un partenaire de jeu toujours disponible, très docile, ainsi qu'une confidente des plus discrètes. L'enfant peut lui confier tous ses secrets. Sa présence peut également le rassurer à l'heure du coucher.

Dorénavant, l'enfant invente des histoires plus longues, plus complexes et joue des rôles sociaux (en disant, par exemple : « Moi, je suis ta maman et je t'emmène chez le médecin »). Dans son jeu avec la poupée, l'enfant a aussi tendance à reproduire les interdits de ses parents : « Tu n'auras pas de dessert si tu ne manges pas tous tes légumes. »

À compter de 3 ans, jouer à la poupée devient un élément de socialisation important pour l'enfant. La présence d'autres enfants enrichit son jeu et lui permet de développer des habiletés sociales comme décider du scénario, partager des accessoires ou tenir compte de l'opinion de l'autre.

La poupée idéale à cet âge est classique et solide. Mieux vaut éviter les poupées qui ont la taille de l'enfant : cela fausse le dialogue avec ce dernier. Les poupées avec des mécanismes ou des composantes électroniques sont également à éviter. Si la poupée est trop complexe, il y a de fortes chances que l'enfant cherche à la détourner de sa fonction apparente pour mieux se la réapproprier. Il est préférable que l'initiative du jeu vienne de l'enfant, non du jouet.

La poupée mannequin

Dans cette catégorie, on retrouve la très populaire Barbie®. Il s'agit donc d'un style de poupée « adulte » qui ne saurait remplir le rôle traditionnel de la poupée bébé ou de la poupée enfant. Comme le dit l'auteure Anne Bacus : « Avec une poupée mannequin, la fillette se voit en femme, belle et sophistiquée[7]. »

Il y a quelques décennies, ce type de poupée était destiné aux fillettes de 7 ou 8 ans. Aujourd'hui, la commercialisation de ce jouet vise plutôt des petites filles (aussi jeunes que 3 ou 4 ans) qui n'ont pas la dextérité requise pour l'habiller : les attaches sont très petites et les vêtements, très ajustés. Il n'est pas étonnant alors que les Barbie® se retrouvent nues dans la chambre de l'enfant ou que maman soit appelée à la rescousse pour les habiller.

D'autres poupées du même genre, telles que les poupées Bratz®, ont plutôt l'allure d'adolescentes sophistiquées avec des vêtements sexy et divers accessoires. Ces poupées ont davantage la faveur des fillettes d'âge scolaire. On pourrait souhaiter que les vêtements et l'allure de ces jouets soient plus en accord avec l'âge des jeunes filles à qui elles sont destinées et qu'ainsi, elles ne participent pas au phénomène d'hypersexualisation qui sévit dans notre société[8].

Il existe aussi sur le marché des marottes, ces têtes de poupée que l'enfant peut coiffer et maquiller selon sa fantaisie et qui stimulent ses habiletés de motricité fine (dextérité, coordination…) et sa créativité.

> **Saviez-vous que…**
>
> G.I. Joe® fut d'abord un héros de bande dessinée des années 1940. Son visage original fut modelé en 1963 d'après les traits de John Fitzgerald Kennedy[9].

Les figurines

Les figurines telles que les Transformers®, les super-héros, les dragons ou les petits soldats plaisent beaucoup aux garçons. Leur utilisation est différente de celle des poupées. Alors que ces dernières sont câlinées, habillées, coiffées et promenées, les figurines sont engagées dans l'action. L'enfant qui joue avec elles a habituellement besoin d'espace pour faire en sorte qu'elles remplissent les rôles qu'il leur a assignés. Il faut aussi dire qu'elles agissent plus qu'elles ne parlent. Ces figurines permettent aux enfants d'inventer des scénarios ; elles stimulent donc leur imagination. Les garçons de plus de 3 ans ont beaucoup de plaisir à jouer avec ces jouets. Et certaines filles aussi.

Les figurines de super-héros sont souvent tirées d'émissions de télé ou de films : *Batman, Superman, Spider Man, Captain America*.

Casse-tête* et encastrements

Avec les casse-tête, l'enfant a accès à du matériel qui stimule sa concentration, sa patience et sa coordination œil-main. Le casse-tête fait aussi réfléchir. Lorsqu'il

---

* Au Québec, le casse-tête correspond au puzzle en France.

observe la forme de chaque pièce, l'enfant fait des liens avec l'emplacement destiné à la recevoir. Il apprend ainsi à mener une réflexion.

Les casse-tête stimulent également la perception des formes et des couleurs, car l'enfant doit associer les pièces selon ces caractéristiques. La perception de l'espace est également stimulée puisqu'il doit non seulement repérer l'endroit où placer la pièce, mais aussi la positionner dans le bon sens pour reformer l'image. Quand il refait un même casse-tête, il fait appel à sa mémoire pour se rappeler où allait chaque pièce. Une fois le casse-tête terminé, l'enfant ressent beaucoup de fierté, surtout s'il l'a fait tout seul (ou presque).

Pour l'enfant de moins de 2 ans, il existe des casse-tête en bois dont chaque pièce est munie d'une petite tige qui facilite la manipulation. Les différents éléments sont également séparés les uns des autres, simplifiant l'exécution du casse-tête. À cet âge, c'est par essais et erreurs que l'enfant tente d'associer une forme à l'emplacement qui lui est destiné.

Entre 2 et 3 ans, il apprécie un casse-tête qui reproduit une image simple dont le thème lui est familier (par exemple : un animal, une maison ou un jouet). Les pièces doivent être grosses et épaisses pour être faciles à manipuler. Vers l'âge de 3 ans, l'enfant ne fonctionne plus par essais et erreurs : il commence à identifier la forme de chacune des pièces et de chacune des cavités pour les associer correctement. Le casse-tête en bois est généralement utilisé jusqu'à cet âge pour ensuite être troqué pour le casse-tête de carton. Plus l'enfant avance en âge, plus les pièces sont petites et nombreuses. Un enfant d'âge scolaire pourra compléter un casse-tête comprenant de plus en plus de morceaux. Il deviendra graduellement apte à réussir des casse-tête en trois dimensions.

D'un enfant à l'autre, on note des différences importantes : celui qui apprécie beaucoup cette activité réussira un casse-tête plus élaboré qu'un autre qui s'y intéresse très peu et s'y adonne moins souvent.

Maude

Maude, 8 ans, a toujours adoré faire des casse-tête. Elle aime surtout ceux qui représentent des paysages colorés ou des animaux. Le dernier qu'elle a reçu compte 500 morceaux. Elle commence toujours par faire le contour. Puis, elle se fie surtout aux couleurs. Par exemple, elle met tous les morceaux bleus ensemble pour faire le ciel. Quand le casse-tête est terminé, Maude est toute fière de l'avoir réussi.

Outre les casse-tête, il y a aussi les jeux d'encastrement en trois dimensions. Destinés aux jeunes enfants, il s'agit de contenants dans lesquels on doit faire entrer des clés ou des formes géométriques par le trou approprié du couvercle. Ces jouets stimulent la perception des formes, des grosseurs, de l'espace de même que la motricité fine de l'enfant.

>
> **Saviez-vous que...**
> Les casse-tête en trois dimensions ont été inventés par un Québécois, Paul Gallant, qui les met en marché à partir de 1991. Après avoir vendu Wrebbit, son entreprise de casse-tête, à Irwin, qui fait finalement faillite, il rachète les droits et relance l'entreprise avant de la vendre à Hasbro. Au début de l'année 2012, Jean Théberge, un autre Québécois, relance l'entreprise sous le nom de Wrebbit 3D après que les brevets américains et européens soient devenus caducs.

Jouets pour créer

La pâte à modeler

La pâte à modeler permet à l'enfant de créer, d'imaginer, d'inventer, de donner vie tant à des personnages qu'à une multitude d'objets. Partant de ce matériel informe, il peut décider de préparer un repas, de faire un bonhomme de neige, de créer un animal imaginaire. Chaque fois que l'enfant l'utilise, il peut produire quelque chose de nouveau: il est le maître d'œuvre de ce processus créatif.

De nombreux accessoires sont vendus pour jouer avec la pâte à modeler: des personnages dont on peut faire pousser les cheveux, des moules pour faire des frites, des hamburgers, des glaces, de la pâtisserie, des fleurs... Dans ce cas, le plaisir de l'enfant est toujours présent, mais il ne vient pas de ses propres trouvailles, découlant plutôt de l'utilisation de ces accessoires. Le produit final obtenu n'est pas le fruit de sa création.

Le bricolage

Le bricolage, qui consiste à utiliser divers matériaux pour en arriver à un produit fini, permet aussi à l'enfant de mettre en action son esprit créatif. Cette activité stimule diverses habiletés : l'enfant apprend à utiliser les ciseaux, à appliquer de la colle ou des gommettes, à plier, chiffonner ou déchirer du papier, peut-être à se servir d'une agrafeuse (selon l'âge de l'enfant), sans oublier l'imagination dont il doit faire preuve pour décider du projet à réaliser[10].

Il existe de nombreux ensembles de bricolage qui proposent à l'enfant de créer des objets précis : bijoux, mosaïque, vitrail, calendrier, marionnette… Certains d'entre eux ne pourront être produits qu'à l'âge scolaire, compte tenu des habiletés requises pour les fabriquer. Il en existe d'autres qui servent à décorer un objet, comme une baguette de princesse ou une boîte. Ces ensembles à fonction spécifique font moins appel à la créativité puisque le résultat final est déterminé par le matériel et non par l'enfant. Toutefois, ce dernier sera heureux de porter ou d'offrir un objet qu'il aura fait de ses mains.

Jouets pour imiter et pour « faire semblant »

Les objets domestiques en miniature

Depuis toujours, les enfants aiment s'amuser avec des objets qui reproduisent la réalité qui les entoure, particulièrement ceux qui permettent d'imiter les activités des adultes. Ils apprécient les jouets qui copient certains objets qu'ils connaissent bien : téléphone*, peigne, brosse, verre incassable, gros trousseau de clés en plastique. Ils imitent alors leurs parents en parlant au téléphone, en brossant les cheveux de la poupée, en la faisant boire au verre, en ouvrant une porte avec leur clé.

À partir de l'âge de 3 ans, les enfants aiment « faire semblant » en jouant des rôles de « grands », ce que permettent divers jouets dont les cuisinière, service à vaisselle, établi de menuiserie, trousse de médecin ou caserne de pompier. Avec ce type de jouets, ils peuvent délaisser leur rôle d'enfant pour devenir, le temps du jeu, un personnage de leur choix : cuisinier, boulanger, menuisier, médecin, pompier ou autre.

Ces différents jouets et les personnages qu'il est possible d'incarner grâce à eux permettent d'enrichir

---

* Le téléphone Fisher-Price, avec sa roulette pour composer un numéro et un cordon reliant le récepteur au téléphone, ne représente plus les téléphones d'aujourd'hui. L'enfant sera davantage attiré par la télécommande du téléviseur pour imiter papa ou maman au téléphone. Ce jouet lui plaira tout de même avec ses yeux qui bougent, son grand sourire et les roues qui permettent de le tirer.

le jeu de «faire semblant» des enfants : ils sollicitent leur imagination pour créer des histoires et inventer des scénarios aussi farfelus qu'ils le désirent. Lorsque le jeu est partagé avec d'autres enfants, il devient l'occasion d'échanges sociaux. Dans le jeu de «faire semblant», l'enfant détourne souvent la fonction première d'un jouet. En fait, il peut utiliser un symbole pour représenter un objet absent. Ainsi, il utilise la poignée de la corde à danser* comme un micro; un crayon devient une cuillère pour nourrir son bébé. C'est là une évolution importante dans son développement cognitif.

Les déguisements

Les jeux de déguisement permettent également de «faire semblant». L'espace d'un moment, l'enfant se métamorphose en pirate, en princesse, en pompier, en infirmière, en pilote d'avion... Nul besoin d'acheter ces costumes en magasin. Rassembler de vieux vêtements et des accessoires dans une valise est une façon économique d'offrir ce type de jeu. Bien que l'enfant d'âge préscolaire s'intéresse aux déguisements, ceux d'âge scolaire démontreront davantage de créativité et pourront mettre en scène leurs personnages dans des scénarios élaborés. À l'occasion de l'Halloween, ces derniers pourraient aussi avoir l'ingéniosité de créer leur propre costume.

---

* Au Québec, nous utilisons le terme «corde à danser» même si on dit «sauter à la corde». En France, on emploie «corde à sauter».

Jouets pour s'exprimer

En créant divers personnages, l'enfant peut exprimer des sentiments et communiquer des émotions. D'autres types de jeu le permettent aussi.

Le dessin et la peinture

Le dessin est l'un de ceux-là. La capacité de l'enfant à s'exprimer par le dessin évolue avec l'âge. De 18 mois à 2 ans, le tout-petit gribouille, c'est-à-dire qu'il griffonne de grands traits. Ce n'est pas encore une activité d'expression, mais plutôt un exercice moteur qui lui permet d'expérimenter de nouvelles capacités : tenir une craie ou un crayon, produire des traits, contrôler son mouvement. Il s'agit toutefois d'une réalisation importante pour l'enfant puisqu'il laisse alors sa trace sur le papier.

Vers l'âge de 3 ans, l'enfant commence à vouloir représenter quelque chose dans ses dessins. Cependant, c'est au hasard des lignes qu'il identifie sa production. Voilà pourquoi il ne sert à rien de lui demander à l'avance ce qu'il dessine : il ne peut pas répondre... puisqu'il n'a pas fini. Ses premières ébauches sont souvent difficilement identifiables par toute autre personne que l'enfant.

De 4 à 7 ans, l'enfant reproduit ce à quoi il pense et non ce qu'il voit. Ainsi, la table qu'il dessine aura toujours quatre pattes, peu importe sa position. Son dessin sera toutefois facile à identifier, en dépit d'erreurs de perspective et de proportion. À compter de 8 ou

9 ans, l'enfant commence à réellement dessiner ce qu'il voit ; il est plus respectueux des particularités concrètes des objets.

D'un exercice purement moteur, l'enfant arrive, vers l'âge de 4 ans et encore davantage durant les années subséquentes, à exprimer des sentiments : le petit chien est triste, le bonhomme de neige est content, le garçon est très fâché.

Pour s'exécuter, le jeune enfant a plus de facilité à utiliser de grosses craies de cire qu'un crayon de bois. À cause de leur taille, il lui est plus facile de les tenir en main. Puis il aime se servir de crayons-feutres. Mieux vaut choisir ceux qui sont lavables. Ultérieurement, il voudra peut-être utiliser des crayons de bois. La feuille sur laquelle l'enfant dessine peut être maintenue par un chevalet, posée sur la table ou sur le mur.

À compter de 3 ans, l'enfant trouve intéressant de troquer la feuille pour le tableau. Il peut dessiner sur un tableau blanc avec des feutres ou sur un tableau noir avec une craie qu'il apprendra à tenir avec fermeté, mais sans trop de force pour éviter de la casser. Le seul inconvénient de ces tableaux est que l'enfant ne peut ni conserver ni offrir ses œuvres.

La peinture est un autre moyen d'expression. Avant de faire usage du pinceau, l'enfant utilise d'abord ses doigts pour peindre. Tout comme pour le dessin, vers l'âge de 2 ans, il produit un gribouillis. Son contrôle moteur se raffinant, il peut par la suite utiliser un pinceau. Moins précis qu'une craie de cire ou qu'un crayon-feutre, cet accessoire est plus difficile à contrôler pour reproduire un objet précis. Par contre, la peinture permet de faire des mélanges et de créer la couleur de son choix, quoique les premiers essais soient surtout le fruit du hasard.

Un mot sur le coloriage…

L'enfant peut aussi opter pour les cahiers à colorier. Le coloriage de formes et d'objets déjà représentés stimule sa motricité fine. Graduellement, il apprend à le faire sans trop dépasser les lignes. Toutefois, il ne s'agit pas là d'une activité d'expression proprement dite puisque l'enfant n'invente pas les personnages ni les objets. Par contre, il lui est possible de faire preuve de créativité en choisissant, par exemple, des couleurs originales : un soleil bleu, un arbre mauve, des cheveux verts.

Les marionnettes

Il existe différentes sortes de marionnettes. Les premières que l'enfant utilise sont de minuscules marionnettes qu'on enfile sur chacun des doigts. Il peut aisément les faire bouger, se toucher, se donner des bisous, ce qui lui apprend aussi à dissocier chacun de ses doigts.

Par la suite, il pourra utiliser celles qui s'enfilent comme un gant. La plupart de ces marionnettes requièrent que le pouce de l'enfant rejoigne ses quatre autres doigts pour ouvrir et fermer la bouche du personnage. Certaines, plus difficiles à manipuler, demandent l'utilisation des cinq doigts séparément : quatre d'entre eux doivent entrer, par exemple, dans chacune des pattes d'un animal alors que le cinquième fait bouger la tête. Il est rare que l'enfant réussisse à utiliser ce type de marionnettes efficacement avant l'âge scolaire.

Il y a aussi les marionnettes à fils, dont les membres sont reliés à deux bâtons de bois. L'enfant doit rester debout pour faire bouger les jambes, les bras et la tête de la marionnette, et l'exercice demande beaucoup de pratique et de coordination. Ce n'est qu'à l'âge scolaire qu'il y parviendra.

Utiliser des marionnettes requiert des habiletés motrices précises qui doivent être maîtrisées par l'enfant avant qu'il puisse mettre en scène une histoire dans laquelle il pourra s'exprimer. Les enfants peuvent aussi jouer en petits groupes, chacun d'eux donnant un rôle précis à une marionnette. Ce sera peut-être l'occasion pour les enfants de présenter un spectacle à la famille.

Jouets de guerre

Depuis toujours, les enfants jouent à la guerre. Des gladiateurs aux guerriers du futur en passant par les cow-boys, les indiens, les soldats et les chevaliers, ce type de jeux a de tout temps attiré les garçons. Le matériel pour jouer à la guerre est fort varié : revolver ou épée en plastique, fusil à eau, soldats de plomb, figurines… Il faut toutefois éviter les jouets à projectiles qui peuvent s'avérer dangereux et blesser l'enfant, principalement au visage.

Les jeux de guerre permettent à l'enfant d'évacuer son agressivité, qui est alors canalisée dans le jeu. Par ailleurs, l'enfant utilise le monde imaginaire pour apprivoiser les mystères de la vie, incluant la vie ou la mort[11]. Pour un enfant de 5 ans, la mort est réversible. Quand il dit qu'il « tue » son frère qui fait semblant d'être mort, cela n'a pas la même signification que pour nous.

Très physiques — l'enfant court, rampe, se cache, manie des armes —, ces jeux font aussi appel aux facultés intellectuelles et aux compétences stratégiques de l'enfant, majoritairement vers l'âge de 7 ou 8 ans.

Certains parents ont peur que ces jeux ne fassent de leur enfant un être violent, mais le degré de violence et d'agressivité des enfants n'est pas lié à la possession de jouets guerriers[12].

Parce qu'ils ont en horreur la guerre et la violence, des parents interdisent tous les jouets inspirés par le matériel d'armement. Leur pacifisme est très compréhensible, mais en prohibant ces jeux, ils n'agissent pas pour le bien de leur enfant, mais uniquement à partir de leurs préoccupations d'adultes[13].

Souvent, les interdictions parentales ont l'effet pervers de renforcer le désir de l'enfant pour l'objet défendu[14]. L'enfant jouera donc quand même à « faire la guerre » en utilisant un bâton, par exemple, ou en faisant en sorte que d'inoffensifs petits personnages deviennent des êtres méchants qui sont attaqués par d'autres qui sont gentils et valeureux.

Si on refuse que les jouets de guerre entrent dans la famille, il est souhaitable d'expliquer sa position à l'enfant plutôt que de simplement poser un interdit.

> ### William et Gabriel
>
> Le jeu préféré de William, 7 ans, est la *Guerre des étoiles*. Avec son ami Gabriel, qui a 8 ans, il imagine des guerres spatiales. Pour jouer, il a la figurine de Yoda, un sabre laser et un tissu noir qu'il fixe sur ses épaules telle une cape. Gabriel, lui, apporte son fusil de l'espace et ses Lego® pour faire un vaisseau spatial. Bien sûr, l'un des deux trouve la mort dans ce jeu, mais la fois suivante, c'est au tour de l'autre de mourir. À chaque fois, ils imaginent des histoires différentes et chaque fois, c'est l'occasion de courir, de faire semblant d'attaquer l'adversaire et de dépenser leur énergie débordante.

Dans les pays en guerre, les enfants sont entourés de vraies armes; ils sont témoins de la mort en direct. Lorsqu'ils jouent à la guerre, ils ne sont pas dans l'imaginaire, mais bien dans l'imitation des adultes. Ils reproduisent la réalité qui les entoure. Dans certains de ces pays, des campagnes de sensibilisation s'inscrivant dans la lutte contre les armes à feu incitent les enfants à troquer leurs mitraillettes en plastique et faux revolvers contre des livres et des ballons. Ce fut le cas pour des écoliers de Lima, au Pérou, au mois de juin 2012[15]. De telles campagnes démontrent jusqu'à quel point les armes fictives, qui reproduisent leur réalité, sont des jouets omniprésents dans le quotidien de ces enfants, au détriment de matériel de jeu plus pacifique. C'est là une situation très différente de celle qui prévaut dans nos sociétés.

Jeux d'adresse

Les enfants ont également à leur disposition de nombreux jouets qui leur permettent de développer leur adresse, leur coordination œil-main et celle de tout le corps.

Les balles et les ballons

Les balles et ballons stimulent le développement de la motricité globale de l'enfant. Il apprend à les faire rouler, les lancer, les attraper, les faire bondir. Sa coordination et son équilibre sont aussi stimulés puisqu'il doit viser une cible et garder son équilibre quand il lance. Au-delà des habiletés motrices, l'enfant développe la perception de son corps et celle de l'espace : il doit évaluer la distance qui le sépare de son partenaire de jeu et adapter son mouvement en conséquence. À mesure que cette distance grandit, il doit lancer le ballon ou la balle avec plus d'énergie, favorisant de la sorte le développement de sa force musculaire. En jouant avec des partenaires, il apprend également à donner et à recevoir, à attendre son tour, à partager. Ces jouets deviennent alors objets de socialisation.

Évolution des habiletés

- Vers l'âge de 6 mois, le bébé réussit à tenir une petite balle dans sa main. Quelques mois plus tard, il apprend à faire rouler le ballon lorsqu'il est assis par terre, même s'il ne réussit pas toujours à le diriger vers son partenaire de jeu.
- Entre 1 et 2 ans, il commence à lancer le ballon. Il le lance à deux mains, avec un mouvement de tout le corps. Son équilibre est incertain et son geste, peu maîtrisé : il ne réussit pas encore à cibler adéquatement son partenaire de jeu.
- Vers 2 ans, il réussit à lancer une balle vers l'avant, sans perdre l'équilibre ni tomber. Puis il apprend à frapper le ballon avec le pied. Vers l'âge de 3 ou 4 ans, il lance mieux et attrape peu à peu le ballon avec plus d'adresse. Environ un an plus tard, il lance le ballon avec plus de force et apprend à maîtriser son geste ; ses mouvements sont mieux coordonnés. Il lance et attrape aussi une balle. Il apprend ensuite à lancer celle-ci par-dessus son épaule (comme au baseball) ou par en dessous (comme à la balle molle). Entre 5 et 6 ans, l'enfant commence à faire rebondir le ballon d'une main. Entre 6 et 12 ans, on constate une augmentation de la vitesse d'exécution, une amélioration graduelle de la coordination et une plus grande compétence lors d'activités physiques précises. L'enfant peut alors dribbler avec un ballon et tirer au but avec une plus grande précision[16].

Les âges mentionnés ici ne sont que des points de référence. Un enfant plus moteur ou ayant souvent accès à ce matériel de jeu deviendra habile avec un ballon plus rapidement qu'un enfant qui, par exemple, serait plus verbal.

Quelle balle, quel ballon ?

Avec un jeune enfant, il faut éviter les ballons ou les balles en mousse, car il pourrait les porter à sa bouche, en détacher un morceau et s'étouffer. Par ailleurs, l'enfant pourrait avoir peur d'attraper un ballon rigide. Un ballon de plage, plus léger, est plus approprié et sera moins menaçant pour l'enfant. Pour les mêmes raisons, il préférera des balles plus molles qui risquent moins de le blesser et qu'il aura moins de crainte à attraper.

Le soccer et le baseball

Toutes les habiletés que l'enfant développe lorsqu'il joue avec un ballon ou une balle lui seront utiles pour jouer au soccer (football) ou au baseball. Cependant, avant l'âge de 6 ans, même si l'enfant est capable de frapper un ballon avec le pied ou de lancer une balle vers une cible, il aura du mal à s'adonner à ces sports d'équipe. Ce n'est en effet qu'à compter de 6 ou 7 ans qu'il possèdera toutes les habiletés requises pour pratiquer le soccer. C'est à l'âge scolaire que l'enfant comprend complètement les consignes du jeu, qu'il est apte à collaborer avec les autres et, en général, qu'il apprécie de faire partie d'une équipe sportive.

Vers l'âge de 10 ans, la plupart des enfants sont en mesure de jouer correctement au baseball, mais ils doivent attendre un peu plus longtemps pour pratiquer des sports comme le tennis.

> ### Maxime et Xavier
>
> Maxime et son petit frère, Xavier, jouent tous deux dans une équipe de soccer. Maxime, 9 ans, en est à sa quatrième saison. Il compte souvent des buts. À chaque partie, il est content de retrouver son équipe. À 4 ans, Xavier s'initie aux règles du jeu, mais il se laisse facilement distraire. S'il voit une belle fleur près du terrain, il va la cueillir pour l'offrir à sa mère, au grand désespoir de son entraîneur. Il ne comprend pas ce que ce dernier veut dire quand il mentionne l'importance de garder sa position. Mais il adore courir sur le terrain.

Les fléchettes avec velcro

Le jeu de fléchettes traditionnel est dangereux pour un enfant. La pointe de métal de la fléchette peut facilement blesser quelqu'un. Il existe cependant des jeux de même type faits de balles munies de velcro à lancer sur une cible. L'enfant peut alors s'exercer à viser sans danger et, de la sorte, développer son adresse et sa coordination œil-main.

L'enfant d'âge scolaire aimera jouer avec un partenaire, compter les points qu'il a faits et comparer son résultat avec celui de son adversaire.

Le jeu de quilles

Ce jeu stimule la coordination œil-main de même que celle de tout le corps et il gagne en complexité au fur et à mesure que les quilles sont placées plus loin de l'enfant. Ce jeu peut également l'inciter à compter les quilles tombées, le familiarisant ainsi avec les nombres.

Pour le jeune enfant, jouer aux quilles avec un ballon est plus simple qu'avec une balle : il réussira plus facilement à faire tomber les quilles. L'enfant d'âge scolaire aimera, pour sa part, tester ses habiletés dans une véritable salle de quilles. Il lui sera alors plus facile de jouer avec les petites boules qu'avec les grosses qui, elles, demandent à être tenues avec seulement trois doigts.

Le jeu de poches

Quand l'enfant maîtrise le lancer de la balle sous l'épaule, comme à la balle molle, il est apte à s'adonner au « jeu de poches », qui consiste à lancer des sacs de sable sur une planche inclinée percée de trous de différentes grandeurs et auxquels des valeurs sont attribuées. En plus de stimuler sa coordination, ce jeu incite l'enfant à compter les points. Partagé avec d'autres enfants ou avec des adultes, ce jeu est aussi une occasion de socialisation : l'enfant apprend à attendre son tour, à partager le matériel, à gagner et à perdre.

La corde à danser *

Sauter à la corde est une activité complexe. Tenant une extrémité dans chacune de ses mains, l'enfant doit tourner la corde et sauter au moment approprié. Cela requiert un bon contrôle des mouvements et une très bonne coordination du corps. Vers l'âge de 6 ans, l'enfant réussit généralement à faire deux ou trois sauts de suite. Ce n'est pas là une activité réservée aux filles puisque les boxeurs utilisent le saut à la corde durant leur entraînement.

L'enfant plus âgé peut s'adonner à une forme plus complexe de saut en se glissant au centre d'une corde plus longue que deux personnes font tourner. Il doit alors choisir le bon moment pour se glisser dans la corde, sauter puis ressortir sans en interrompre le mouvement. Il s'agit là d'une très bonne activité pour stimuler la motricité globale de l'enfant, mais aussi sa perception de l'espace et sa capacité à évaluer la vitesse afin de sauter au moment approprié.

Ce jeu se complexifie encore lorsqu'on tourne deux cordes en alternance en les dirigeant vers l'intérieur. Réussir à se glisser au centre des cordes et sauter de façon à ne toucher ni l'une ni l'autre représente un véritable tour d'adresse.

---

* Comme nous l'avons mentionné auparavant, le terme «corde à danser» est employé au Québec alors qu'en France, on parle de «corde à sauter».

Le cerf-volant

Faire voler un cerf-volant — dans un espace dégagé, bien sûr — est une activité de « grand ». Il faut dévider le fil tout doucement pour faire monter le cerf-volant dans le ciel et l'y maintenir par des mouvements appropriés qui tiennent compte de la direction et de la force du vent. Ce n'est qu'à l'âge scolaire que l'enfant arrivera à le maîtriser.

Certains cerfs-volants doivent être assemblés. L'enfant aura alors probablement besoin d'aide pour y parvenir. Mais qu'il l'ait fabriqué lui-même ou non, l'enfant éprouvera beaucoup de fierté à voir son cerf-volant se balancer dans les airs !

Le jeu de la cachette*

La cachette se joue assez tôt avec un enfant. Lorsqu'il a 10 ou 12 mois, il suffit de cacher son propre visage sous une petite couverture et d'inviter l'enfant à l'enlever. Il est tout souriant quand il retire la couverture et aperçoit le visage qui était camouflé. Son plaisir découle du fait qu'il avait raison de croire que la personne cachée était toujours là, même s'il ne voyait plus son visage. Ce comportement démontre que l'enfant accède tout doucement au concept de permanence de l'objet : il a conscience qu'un objet (ici, le visage de la personne) continue d'exister même s'il ne le voit plus.

---

* En France, on appelle ce jeu « cache-cache ».

L'enfant de 2 ou 3 ans aime bien jouer à la cachette chez lui avec papa ou maman. Mais les chances sont grandes qu'il ne se cache jamais entièrement : ses pieds dépassent sous un meuble, le dessus de sa tête est visible derrière la table... Bizarre, non ? Cela s'explique par le fait qu'à cet âge, si l'enfant ne voit pas une personne, il a l'impression qu'elle ne le voit pas non plus. Les cachettes qu'il trouve sont souvent les mêmes. Il peut aussi reprendre la cachette de la personne qu'il vient de trouver. Ses stratégies sont peu élaborées.

Vers l'âge de 4 ans, l'enfant comprend mieux les règles simples de ce jeu : on ne regarde pas pendant que les autres se cachent, on compte jusqu'à 10 et on cherche. Pourtant, lorsque vient son tour de compter, il peut être tenté de tricher et de regarder où se cachent les autres. Quand il est caché, il peut trouver difficile d'attendre qu'on le trouve. De même, quand c'est à lui de chercher, il peut être porté à rapidement laisser tomber s'il ne trouve pas les autres. En fait, il apprécie les activités de courte durée. Le plaisir de l'enfant de cet âge pour ce jeu vient de l'excitation d'être trouvé.

À l'âge scolaire, l'enfant apprécie particulièrement les règles précises qui régissent le jeu de la cachette. Avant de commencer, il peut d'ailleurs exiger que ces règles soient clairement établies : le périmètre où il est permis de se cacher, jusqu'à quel nombre compter, le fait que le premier qui est trouvé doive chercher les autres la fois suivante. L'enfant d'âge scolaire commence aussi à développer des stratégies. En tentant de se mettre à la place de celui qui cherche, il tente de trouver une cachette insolite ou la façon la plus rapide de se rendre au but. Il aime se cacher dans des endroits sombres, des endroits qui effraieraient un enfant plus jeune. Il éprouve de la fierté quand il a su trouver une cachette inattendue et que ses amis ont eu du mal à le trouver. Il y voit là la preuve qu'il a de bonnes stratégies.

Quand un enfant d'âge préscolaire joue à la cachette avec des enfants plus vieux, des tensions peuvent s'installer, car il ne suit pas les règles avec la même rigueur, possède peu de stratégies pour dénicher ses cachettes et ne tolère pas d'attendre. D'où l'impatience des autres enfants de devoir inclure ce petit dans leur jeu.

Jeux de société

Les jeux de société sont fort nombreux sur le marché. Ce type de jeux reproduit certains aspects de la vie en société, comporte des règles précises à suivre et nécessite plusieurs joueurs. Majoritairement, ces jeux s'adressent aux enfants d'âge scolaire quoique quelques-uns soient accessibles aux enfants d'âge préscolaire.

Les premiers jeux de société auxquels peut s'adonner le jeune enfant sont ceux où seul le hasard intervient et où aucune stratégie n'est requise, comme Serpents et échelles ou encore des jeux de cartes tels que Rouge ou noir ou La bataille. On peut jouer à ces deux jeux de cartes avec des enfants d'environ 3 ans. Dans le premier, un joueur (le donneur) a un paquet de cartes posé devant lui, face contre table. L'autre joueur doit deviner de quelle couleur (rouge ou noire) sera la carte que le donneur retournera. Si son choix est le bon, il remporte la carte. Sinon, elle revient au donneur. Quand toutes les cartes ont été retournées, celui qui a le plus grand nombre de cartes gagne la partie. Dans le second jeu, chaque joueur a le même nombre de cartes devant lui, empilées face contre table. Les deux joueurs retournent la première carte de leur paquet. Celui dont la carte a une valeur supérieure remporte les deux cartes. Si deux cartes ont la même valeur, une bataille débute. Chaque joueur dépose alors une nouvelle carte sur la sienne jusqu'à ce que l'un d'eux retourne une carte de la même valeur que celle qui a fait l'objet de la bataille.

Dans ces jeux, les deux joueurs sont sur un pied d'égalité et ont autant de chances de gagner. L'enfant assimile donc le fait qu'il peut perdre un jour et gagner le lendemain.

Vers l'âge de 4 ans, l'enfant commence graduellement à s'intéresser à des jeux de société plus élaborés tels que les dames ou les jeux de mémoire où il faut identifier des paires d'images identiques alors qu'elles sont tournées face contre table. Ces jeux sollicitent la mémoire, l'anticipation et un minimum de stratégie.

À partir de 6 ans, l'enfant apprend avec plaisir les règles plus complexes de certains jeux : les dominos, les dames chinoises, les échecs, les jeux de cartes plus élaborés, les jeux de vocabulaire tels que Scrabble Jeunes®, les jeux d'attaque comme Bataille navale® ou encore les jeux qui reproduisent des éléments de réalité tels que Opération®, Jour de paie® ou Monopoly Junior®. L'enfant apprend alors à ne pas tricher, à gérer sa déception en cas d'échec, à canaliser d'éventuelles réactions violentes et à suivre les règles qui régissent le jeu. Grâce à ces jeux, il développe également de nouvelles habiletés, notamment en ce qui concerne la stratégie. Il doit en effet prévoir l'impact de ses décisions sur le déroulement du jeu de même que la réaction du joueur adverse.

Comme l'enfant d'âge scolaire développe un intérêt grandissant pour les jeux régis par des règles précises, les jeux de société sont des activités de choix pour lui, d'autant plus qu'ils se jouent avec des partenaires, répondant aussi à un intérêt chez lui.

Laisser gagner l'enfant?

Si on le laisse toujours gagner, on donne à l'enfant l'illusion qu'il est le plus fort. L'échec n'en sera que plus cuisant quand il jouera avec quelqu'un d'autre. À l'inverse, s'il ne gagne jamais, il perdra intérêt au jeu. Une victoire de temps à autre le motive pour continuer à jouer et l'aide à développer ses habiletés. L'idéal est donc de miser, au début, sur l'alternance. Peu à peu, l'enfant développera ses habiletés et réussira à gagner par ses propres moyens sans aucune aide.

En s'adonnant aux jeux de société, qui comprennent au moins un adversaire, l'enfant doit comprendre que la défaite n'est pas le signe de son infériorité et que la victoire ne confirme en rien sa supériorité. Il doit apprendre graduellement à perdre sans trop de douleur et à gagner avec humilité. Lorsque l'enfant perd, il est bon de lui mentionner le plaisir qu'on a eu à jouer avec lui. De la sorte, on met l'accent sur l'aspect divertissant du jeu et non sur le résultat de la partie. Quand l'adulte perd, c'est une belle occasion de dédramatiser l'échec : « J'ai perdu. On ne peut pas toujours gagner. Mais demain, je prendrai ma revanche. »

Au début, il est plus facile pour l'enfant d'accepter l'échec contre un adulte que contre un autre enfant. Comme l'adulte connaît mieux le jeu et qu'il a davantage d'expérience, l'enfant trouve plus normal qu'il gagne. Toutefois, lorsque l'enfant joue avec un ami de son âge, il se compare à un égal et trouve difficile que l'autre soit meilleur que lui. De plus, un adulte sait — ou devrait savoir — gagner avec humilité, sans déprécier l'enfant. L'échec en est moins douloureux.

Et les jeux coopératifs ?

La plupart des jeux de société stimulent l'esprit de compétition des joueurs. D'autres misent plutôt sur la coopération. Les enfants sont généralement aptes à jouer à des jeux coopératifs avant qu'ils le soient pour les jeux compétitifs. Les jeux coopératifs reposent sur l'entraide et la solidarité entre les joueurs pour atteindre un objectif commun. Ils encouragent le travail d'équipe, la créativité et la résolution de problèmes tout en véhiculant le message qu'ensemble, nous sommes plus forts. Dans ce type de jeux, les autres joueurs sont des alliés et non des adversaires. En misant sur l'entraide, ces jeux permettent aux enfants de développer des valeurs qui leur seront utiles toute leur vie, notamment en ce qui concerne les travaux scolaires en groupe et la participation à des activités sportives en équipe.

Divers jeux coopératifs ont été commercialisés[17]. Certains s'adressent aux enfants aussi jeunes que 3 ans, alors que d'autres ont été conçus pour les enfants plus âgés. Quelques-uns de ces jeux de table demandent aux enfants d'unir leurs efforts pour, par exemple, faire rentrer tous les fantômes au château avant le lever du soleil, planter les fleurs dans le jardin avant l'arrivée de l'orage, remplir les paniers de pommes avant que la corneille n'ait tout mangé.

D'autres jeux coopératifs, plus physiques, ne requièrent pas de matériel manufacturé. Un exemple de ce type de jeux est la fabrication d'une murale. L'espace est délimité par une grande feuille posée au mur. Les enfants (ou un adulte si les enfants sont très jeunes) décident du thème de la murale et chacun y contribue à la mesure de ses moyens. La réussite est le fruit de leurs efforts conjugués.

Le jeu du parachute est un autre exemple de jeu coopératif. Les enfants se placent tout autour d'un parachute fait de différentes couleurs et mesurant deux à trois mètres de diamètre. Chaque enfant saisit le parachute des deux mains et fait des vagues en levant puis en abaissant les bras. On peut ajouter des balles de tennis sur le parachute et demander aux enfants de faire bouger le tissu pour éviter que les balles tombent. Une autre variante possible est le jeu du chat : une fois que le parachute est soulevé par tout le groupe, un des enfants doit courir dessous et atteindre l'autre côté avant que le parachute redescende et qu'il le touche.

De nombreux sites Internet proposent divers jeux de coopération à faire avec un groupe d'enfants d'âges différents[18-20]. Voyons-en trois exemples.

- **Quelle heure est-il, Monsieur le loup ? (pour les enfants de 3 à 8 ans)**

    On choisit un loup parmi le groupe d'enfants. Celui-ci se place en avant, dos aux participants. Tous les autres enfants se placent à quelques mètres du loup, formant une ligne horizontale. Les enfants demandent alors : « Quelle heure est-il, Monsieur le loup ? » Le loup choisit une heure fictive (3 heures, 5 heures…). Les enfants doivent alors avancer d'un nombre de pas équivalent aux nombres d'heures (par exemple, 5 heures équivalent à 5 pas). Les enfants posent à nouveau la question et quand le loup juge que les enfants sont assez près de lui, il crie : « L'heure de vous manger ! » Les enfants courent alors pour tenter d'échapper au loup qui, lui, se retourne et se met à les poursuivre. Le premier joueur attrapé devient le loup. Ce jeu est intéressant pour les enfants de 3 ans et plus qui apprennent les chiffres.

- **La sculpture vivante (pour les enfants de 8 à 12 ans)**

  Ce jeu ne requiert que des foulards. Les enfants forment un cercle, les yeux bandés. Un volontaire, qui n'a pas les yeux bandés, se place au milieu du cercle et prend une posture de son choix, se transformant en statue. L'animateur intervient alors et décrit progressivement cette posture. Suivant ses indications, les autres enfants tentent de l'imiter. Une fois le tableau figé, l'animateur enlève les bandeaux. On peut alors contempler l'exactitude (ou, plus souvent, la différence) des reproductions par rapport à l'original.

- **Le chef d'orchestre (pour les enfants de 6 à 12 ans)**

  Les enfants sont assis en cercle. L'un d'eux sort du groupe et s'éloigne pendant qu'on désigne le chef. Le chef fait des mouvements que les autres imitent. Le joueur qui avait quitté le cercle revient au centre et essaie d'identifier le chef. Il a trois chances. S'il ne devine pas, on lui dit la réponse. On reprend ensuite le jeu avec un autre chef. Un autre joueur cherchera à l'identifier.

Jouets pour construire et assembler

Les blocs de bois

Les jeux de construction sont avant tout des jeux d'assemblage en deux ou trois dimensions qui favorisent l'organisation spatiale — soit les relations entre les objets dans l'espace — et qui développent la précision, la concentration et la patience. Grâce à ce type de jeux, l'enfant apprend diverses notions relatives à la grandeur, la forme, le poids et la logique. Les jeux de construction, particulièrement ceux sans objectif prédéterminé, stimulent également les habiletés créatives de l'enfant.

C'est avec des blocs de bois que commence la carrière de bâtisseur de l'enfant. Vers l'âge d'un an, il tente de poser un bloc sur un autre, mettant à l'épreuve sa motricité fine. Sa tour montera de plus en plus haut à mesure que ses habiletés de coordination s'amélioreront. Juxtaposer précisément les cubes les uns sur les autres sans trop bouger et sans tout faire tomber n'est pas une mince affaire. L'enfant doit s'approprier les lois de l'équilibre pour que sa construction soit stable. Il éprouve du plaisir non seulement dans la construction de sa tour, mais aussi dans sa démolition. À peine le dernier cube posé, sa réalisation est aussitôt détruite de ses propres mains, avec jubilation. Peu à peu, l'enfant diversifie son art : il ne se contente plus d'empiler, il commence à aligner trois ou quatre cubes pour faire un train, par exemple.

> **Saviez-vous que…**
> Mega bloks® est une société québécoise fondée en 1967.

Les blocs de plastique

À compter de 18 mois ou 2 ans, l'enfant s'intéresse aux gros blocs de plastique (du type Mega bloks®), qu'il tente d'imbriquer les uns dans les autres. Il aime aussi les cubes gigognes qui lui permettent d'expérimenter la notion de grosseurs. En les renversant, il tente de suivre la séquence du plus gros au plus petit pour faire une tour. Il réussit généralement entre 2 et 3 ans.

Les petites briques de type Lego®

À partir de 3 ans, l'enfant s'amuse beaucoup avec les petits blocs de couleur de type Lego®. Les objets réalisés seront utilisés pour jouer: un garage pour ranger ses petites autos, une maison où vivent ses personnages. Certains jeux ne proposent pas de construction précise, laissant libre cours à son imagination. Les défis à relever sont alors sans limite. C'est à l'enfant d'imaginer tout ce qu'il peut créer avec ses briques.

Saviez-vous que...

L'entreprise Lego® a été créée en 1934 par un menuisier-charpentier danois du nom de Ole Kirk Christiansen. Au début, il fabriquait des jouets en bois. La brique Lego® comme on la connaît aujourd'hui a été créée vers 1949.

D'autres proposent des constructions spécifiques tels un château, une voiture, une station-service ou encore des animaux. L'enfant doit alors planifier sa construction et suivre les différentes étapes pour y arriver. À compter de 6 ans, il est capable de les reproduire seul, en suivant le schéma de construction.

Le Meccano®

Éventuellement, le jeu de Meccano®, qui requiert des assemblages avec des écrous et des boulons de même que la manipulation d'outils, sera aussi à sa portée.

Les modèles réduits

Pour l'enfant de 8 ans et plus, les modèles réduits représentent un défi intéressant à relever pouvant mettre à profit ses compétences logiques et géométriques. À partir de nombreuses pièces à assembler et à coller, et en se basant à la fois sur une série d'étapes précises, des directives écrites et des schémas, il peut fabriquer des avions, des autos ou des maisons. Pour ses premiers essais, il peut avoir besoin d'aide pour comprendre comment procéder. Néanmoins, le produit final, une fois réalisé, lui apportera beaucoup de fierté et cette réussite aura assurément un impact sur son estime de soi. Il en est de même des maquettes qui permettent de reproduire une ville, un coin de nature ou le village du père Noël sous le sapin. Les enfants de 10 ans et plus pourront créer des objets animés en utilisant des circuits électriques ou encore des véhicules à énergie solaire.

Tous ces jeux d'assemblage, particulièrement les derniers mentionnés, requièrent une bonne capacité de réflexion et un sens accru de l'observation chez l'enfant. De plus, pour réaliser un assemblage précis, l'enfant doit développer ses habiletés de planification afin de déterminer les étapes de construction.

Jouets téléguidés

Les autos, camions, hélicoptères, avions et robots téléguidés attirent les enfants, surtout les garçons. Ces jouets requièrent très peu de participation de la part de l'enfant puisqu'il n'a qu'à presser quelques boutons pour que le jouet avance, tourne ou recule. Ce type de jouets où l'enfant est plutôt passif ne saurait maintenir longtemps son intérêt à moins qu'il ait beaucoup d'imagination et qu'il crée une histoire dans laquelle le jouet téléguidé n'est qu'un outil mis au service de sa création.

Jouets « scientifiques »

Vers l'âge de 3 ans, l'enfant peut s'amuser avec une boîte d'exploration de la nature comprenant, par exemple, une lampe de poche, des jumelles, une boussole, une loupe et un pot de plastique muni d'un couvercle dans lequel il pourra glisser un insecte pour l'observer. Ce type de matériel initie l'enfant aux sciences naturelles. Bien sûr, il aura besoin qu'un adulte suscite d'abord son intérêt à l'endroit de la nature.

À compter de 8 ans, l'enfant est apte à apprendre quelques tours de magie simples provenant d'un ensemble de magicien. Pour maîtriser chacun des tours, il doit en comprendre le principe et être rapide. Il peut également apprendre quelques tours de magie d'un adulte, avec des cartes à jouer par exemple. Il sera très heureux d'en faire la démonstration à sa famille.

À cet âge, un ensemble de chimie permettant de faire quelques expériences simples peut également intéresser l'enfant, particulièrement celui qui est attiré par les sciences. Il existe aussi sur le marché des coffrets d'initiation à l'électricité, à la mécanique ou au système hydraulique qui comblent la curiosité de plusieurs enfants. Quant au microscope, il ravit à coup sûr l'enfant curieux de découvrir le monde de l'infiniment petit.

Jeux informatiques et jeux vidéo[21]

Il existe des logiciels ludo-éducatifs destinés aux enfants dès l'âge de 2 ans. À titre d'exemple, *Je découvre l'ordinateur*, qui familiarise l'enfant avec la souris et l'ordinateur. Avec ce logiciel, il peut, par exemple, jouer au chef d'orchestre ou tenter de crever des ballons en cliquant dessus.

Pour l'enfant d'environ 3 ans, des ordinateurs portables qui se rangent dans une petite valise en plastique rigide sont disponibles. En général, l'enfant de cet âge revient toujours à l'activité qu'il sait faire et son intérêt pour ce matériel est de courte durée.

Pour les enfants de 4 ans et plus, il existe des consoles électroniques à écran tactile ou accompagnées d'un clavier qui permettent, par exemple, d'apprendre l'alphabet ou les chiffres, ou encore de faire des casse-tête de plus en plus compliqués. Ces jeux attirent les parents qui privilégient les jeux éducatifs pour leur enfant*. Toutefois, le fait que ces jeux fonctionnent avec des piles en augmente le coût.

On ne peut passer sous silence l'intérêt de l'enfant pour le téléphone intelligent ou la tablette de type iPad® de ses parents. Ces appareils, qui ne sont pas, de prime abord, destinés aux enfants, les captivent beaucoup. Ils peuvent offrir des jeux éducatifs intéressants et faciles d'accès grâce à l'écran tactile. Il faut cependant porter une attention particulière au nombre et, surtout, aux coûts liés à l'achat d'applications de jeux téléchargeables.

Il y a bien sûr les jeux vidéo, qui se jouent à l'aide d'une console (Wii®, Xbox®, PlayStation®, Game Boy®) et qui, très tôt, captivent l'enfant. Ces jeux présentent la plupart du temps différents niveaux à franchir et proposent diverses activités: course automobile, exercice physique, danse, musique, bagarre, quête d'un héros dans un univers rempli d'ennemis…

Les pour

Avec les jeux à l'ordinateur, l'enfant apprend à utiliser une souris, à déplacer le curseur sur l'écran et découvre les rudiments de l'ordinateur. Selon le logiciel, il peut apprendre le lien de cause à effet: en appuyant sur une touche ou en cliquant sur la souris, il produit une action

---

* Voir chapitre 3: Les jouets éducatifs

à l'écran. Certains cédéroms lui permettent de découvrir des notions de base comme les couleurs, les grandeurs, les formes. Il lui faut alors être attentif et bien observer. Ce type de jeux est interactif, puisque l'ordinateur réagit aux gestes de l'enfant. Il lui indique, par exemple, s'il a su trouver la plus grosse fleur à l'écran. L'ordinateur peut donc s'avérer un outil de jeu et d'apprentissage intéressant pour l'enfant[22].

Les jeux vidéo, quant à eux, nécessitent généralement l'usage d'une manette que l'enfant doit apprendre à contrôler. Cet accessoire requiert une activité bilatérale, demandant des actions différentes des deux mains. Sa manipulation est donc plus complexe que le déplacement de la souris. La majorité des jeux vidéo stimulent la concentration, la mémoire, la reconnaissance visuelle des personnages et des objets, la rapidité, un début de logique et une bonne coordination œil-main. La patience de l'enfant est aussi mise à l'épreuve, puisque l'échec y est fréquent et que l'enfant doit souvent recommencer le même niveau. Par ailleurs, ces jeux peuvent aussi favoriser les échanges avec d'autres enfants qui partagent la même passion, discutant entre eux du plaisir de tel ou tel jeu et se donnant mutuellement des trucs pour venir à bout des obstacles.

Les contre

Aucune norme universelle ne garantit la qualité des jeux électroniques ou vidéo, car ces « différents jeux ne sont pas créés par des spécialistes en pédagogie[23] ». Il est donc utile de les essayer ou de demander des informations supplémentaires avant de les acheter. En quoi consiste le jeu ? Que demande-t-on à l'enfant ? Y a-t-il divers niveaux de difficulté adaptés à l'âge du joueur ? Combien de temps dure une partie ?

Par ailleurs, rester devant un écran, que ce soit l'ordinateur ou la télévision, est une activité relativement passive. Or, l'enfant a besoin de toucher, de manipuler, de bouger, de parler, d'être créatif, de jouer avec de vrais objets et de vraies personnes. Pour les enfants âgés de 0 à 4 ans, les directives canadiennes en matière d'activité physique recommandent au moins 180 minutes quotidiennes d'activité physique d'intensité variée, y compris des activités structurées et non structurées (jeu libre)[24]. Oui, il s'agit bien de 3 heures par jour ! Les enfants plus âgés et les adolescents devraient, quant à eux, accumuler au moins 60 minutes d'activité physique d'intensité modérée à élevée tous les jours. Le temps passé à l'ordinateur ou à jouer aux jeux vidéo limite d'autant celui dévolu aux activités physiques. Il faut savoir qu'un enfant sur quatre souffre d'obésité au Canada, fait attribuable, entre autres, à la sédentarité. En fait, 26 % des enfants âgés de 2 à 17 ans sont considérés comme obèses ou ayant un surplus de poids[25]. Le temps passé devant les écrans n'est pas étranger à cette situation.

Les logiciels ludo-éducatifs proposés au jeune enfant peuvent être compliqués. Il peut effectivement avoir du mal à comprendre ce qu'il doit faire. La présence de papa ou de maman à ses côtés est requise pour lui permettre d'en retirer le maximum. Ce n'est pas là un véritable désavantage, puisque l'activité devient alors un jeu agréable, partagé avec ses parents, mais ça le devient si le parent se sert de ce type de jeux pour occuper l'enfant à l'ordinateur pendant que lui-même fait autre chose.

Quant aux jeux vidéo, ils véhiculent généralement l'importance de la vitesse et de la compétition. Des valeurs comme la compassion et la générosité peuvent aussi être mises de l'avant mais, très souvent, c'est la violence qui domine. Dans un jeu vidéo, le jeune joueur n'est pas un simple témoin de la violence qui se passe à l'écran : il y participe directement en contrôlant les mouvements de son personnage. Toutefois, à ce jour, le seul point démontré par l'ensemble des études portant sur l'impact des jeux vidéo violents est l'agressivité que peut manifester le joueur dans les 20 minutes qui suivent le jeu[26]. Pour identifier l'impact réel des jeux vidéo sur l'agressivité, il faudrait évaluer une population de joueurs à long terme — pendant au moins 20 ans —, ce qui n'est pas le cas des études actuelles, qui se basent toutes sur une courte période d'observation.

Il peut toutefois y avoir un certain danger quand des jeux vidéo violents sont mis à la portée d'enfants très jeunes. Les images qu'ils comportent peuvent leur créer des angoisses, car ils sont incapables de tracer la ligne entre la fiction et le monde réel. Par ailleurs, un jeune enfant n'a pas les habiletés requises pour véritablement comprendre les règles des jeux vidéo et y jouer efficacement.

À l'âge scolaire, certains enfants, et particulièrement les garçons, développent une dépendance aux jeux vidéo. Ils sont bientôt incapables de s'en passer. Lorsqu'ils jouent, ils n'entendent rien de ce qui se passe autour d'eux ; ils sont coupés du monde réel. Pour éviter cette situation, mieux vaut poser des règles d'utilisation précises dès que l'enfant commence à jouer à ce type de jeux.

Le monde virtuel apporte son lot de stimulations à l'enfant, mais il ne saurait lui apporter la même richesse d'expériences que le monde réel. Sans pour autant empêcher l'enfant de jouer, il est sage de sélectionner judicieusement ce qu'on met entre ses mains et d'en contrôler l'usage. Limiter et superviser l'utilisation de ces jeux permet d'éviter l'isolement de l'enfant et sa passivité devant une machine. Ces jeux représentent une activité parmi toutes les autres ; ils ne devraient jamais devenir l'activité dominante de la journée de l'enfant.

Si on donne de bonnes habitudes à l'enfant étant jeune, il sera plus facile de les maintenir à l'âge scolaire.

Une exception ?

Il existe des consoles de jeu qui proposent des activités sportives, des mises en forme et des jeux qui requièrent que le joueur soit actif[29]. On peut, par exemple, jouer au tennis, aux quilles, au soccer, faire des exercices d'équilibre sur une plateforme instable ou sur un fil de fer, ou encore faire avancer des voitures ou des personnages.

Ces jeux offrent une expérience différente des autres jeux vidéo. D'une part, les activités qu'ils suggèrent se font debout et le joueur doit reproduire les gestes appropriés à l'aide d'une manette ou, encore mieux, réaliser les mouvements requis en employant tout son corps[27]. On ne retrouve donc pas la passivité habituelle des jeux vidéo où l'enfant n'a qu'à bouger ses doigts sur une manette. D'autre part, contrairement au Game Boy® ou au Nintendo DS®, ces consoles se prêtent bien au jeu d'équipe avec un partenaire réel et non virtuel. Le plaisir s'en trouve multiplié et les échanges entre les joueurs sont fréquents tout au long de l'activité. Dans ces jeux, la violence est inexistante : l'objectif est plutôt d'améliorer ses habiletés physiques. Ce sont là des activités intéressantes pour l'enfant d'âge scolaire. Le fait que petits et grands y trouvent du plaisir contribue à resserrer les liens familiaux.

Notes

1. Entrevue menée le 18 septembre 2012.
2. www.gladius.ca/fr/Communiques/les-jeux-de-societe-les-plus-en-demande-sont-concus-au-quebec [consulté le 20 décembre 2013].
3. A. BACUS. *Le guide du jouet*. Paris: Marabout, 2002.
4. www.educatout.com/activites/musique/commencer-l-apprentissage-d-un-instrument-de-musique.htm [consulté le 10 avril 2013].
5. www.parachutecanada.org/home/print/228/ [consulté le 10 juin 2013].
6. www.parachutecanada.org/sujets-blessures/theme/C178 [consulté le 10 juin 2013].
7. A. BACUS. *Op. cit.* Pour un survol des jouets pour tous les âges, incluant les poupées, consulter la page 146.
8. www.rqcalacs.qc.ca/publicfiles/volume_final.pdf [consulté le 20 mai 2013].
9. B. GIRVEAU. *Le jouet - Un monde offert aux enfants*. Paris: Gallimard, 2011.

10. http://chezlorry.ca/bricolages.htm - Ce site offre plusieurs idées de bricolage [consulté le 15 mars 2013].
11. www.universdujouet.com/PBCPPlayer.asp?ID=475387 [consulté le 12 mars 2013].
12. B. Bettelheim. *Pour être des parents acceptables*. Paris: Éditions Robert Laffont, 1988.
13. A. Bacus. *Op. cit.*
14. « Pistolets, épées… : comment réagir face aux jouets guerriers? » par E. Antier, pédiatre, auteur de *Élever mon enfant aujourd'hui – Guide pratique des parents*. Paris: Éditions Robert Laffont, 2006. www.grainedecurieux.fr/enfant/jeux-et-jouets/pages/les_jouets_guerriers.aspx [consulté le 12 mars 2013].
15. Nouvelles, *Le Journal de Montréal*, 16 juin 2012.
16. http://erpi.com/elm/2281.4710943827736790452.pdf [consulté le 20 mai 2013].
17. www.jeuxdenim.be/selection-JEUXSOC_COOPERATIF [consulté le 18 mars 2013].
18. http://users.skynet.be/patromouscroncomines/jeux_cooperatifs.html [consulté le 18 mars 2013].
19. www.jeunesseetsante.be/pdf/Trimestriels/Fiches/Fiche10.pdf [consulté le 18 mars 2013].
20. http://membres.multimania.fr/valhoule/jcoop.html [consulté le 18 mars 2013].
21. Pour aborder plus en profondeur le thème des écrans dans la vie de l'enfant, consulter le livre de S. Bourcier, *L'enfant et les écrans*. Montréal: Éditions CHU Sainte-Justine, 2010.
22. Site de jeu pour les 2 à 6 ans: www.pbs.org/caillou_french [consulté le 23 avril 2013].
23. Propos de C. Charest, stratège en nouveaux médias, rapportés dans « Papa, tu me prêtes ton iPad » dans *Protégez-vous - Guide annuel des jouets 2013*. Montréal: Association des consommateurs du Québec, 2012.
24. www.scpe.ca/directives [consulté le 7 juin 2013].
25. S. Lipnowski et CMA. LeBlanc. « Healthy active living: Physical activity guidelines for children and adolescents ». *Paediatrics and Child Health* 2012 17(4):209-210.
26. www.lexpress.fr/actualite/societe/jeux-video-le-coupable-ideal_1071304.html [consulté le 11 avril 2013].
27. Les consoles de jeu Wii et Kinect pour la Xbox 360 offrent ce type de jeux. www.xbox.com/fr-ca/Kinect/Games [consulté le 11 avril 2013].

Chapitre 3

Questions sur les jouets

Les enfants témoignent par leurs jeux de leur grande faculté d'abstraction et de leur haute puissance imaginative. Ils jouent sans joujoux.

Charles Baudelaire,
Extrait de *Curiosités Esthétiques*

À donner aux enfants trop de jouets éducatifs d'une perfection inégalable, ne risque-t-on pas de tarir en eux les sources claires et vives du rêve et de la création ?

Madeleine Rabecq-Maillard,
Histoire des jeux éducatifs

Ce chapitre répond à plusieurs questions que se posent fréquemment les parents à propos des jouets. Les jouets éducatifs sont-ils supérieurs aux autres ? Et les jouets maison ? Quels sont les objets usuels qui peuvent devenir des jouets pour les enfants ? Quels jouets peut-on fabriquer soi-même et quelles précautions doit-on alors prendre pour qu'ils soient sécuritaires ? Quelle est la meilleure solution pour les ranger ? Un coffre ? Des tablettes ? Comment gérer les conflits entre les enfants lorsqu'ils ne veulent pas prêter leurs jouets ou qu'ils veulent s'approprier ceux des autres? Comment les aider à accéder à la notion de partage? Doit-on s'inquiéter si l'enfant s'intéresse à des jouets principalement destinés à ceux de l'autre sexe?

Les jouets éducatifs sont-ils supérieurs aux autres?

Parmi les jouets disponibles sur le marché, certains affichent l'étiquette éducative. Or, qu'entend-on par «jouet éducatif»? Un jouet qui permet à l'enfant d'apprendre tout en s'amusant? Dans ce cas, un ballon est un jouet éducatif puisque, grâce à lui, l'enfant apprend à lancer, attraper et faire bondir. Une valise pleine de déguisements l'est aussi, car l'enfant développe des habiletés d'habillage en se costumant. En fait, tous les jouets favorisent des apprentissages chez l'enfant; ils ont donc tous un volet éducatif. Alors qu'est-ce qu'un jouet éducatif?

Selon Danielle Charbonneau, coordonnatrice du dossier jouets d'Option consommateurs, nombreux sont les parents qui misent sur l'aspect éducatif du jouet plutôt que sur son aspect ludique. «Plusieurs d'entre eux considèrent qu'un jouet éducatif doit inclure des chiffres, des lettres». C'est d'ailleurs ce que laisse croire l'étiquette «jouet éducatif», qui est le plus souvent apposée sur des jouets visant un apprentissage spécifique: les lettres de l'alphabet, les mots, les chiffres, l'heure, le développement de la mémoire visuelle, la distinction des similitudes et des différences, l'identification des formes... Ces jouets dits éducatifs sont-ils supérieurs aux autres ?

En 2010, le Conseil canadien sur l'apprentissage concluait ainsi son rapport *Jouets éducatifs : Apprendre à jouer ou jouer pour apprendre* :

> *Si un grand nombre de recherches montrent que le cerveau des enfants passe par une période de développement rapide dans laquelle l'apprentissage et l'expérience jouent un rôle majeur, peu d'entre elles confirment que les jouets dits éducatifs peuvent stimuler ce développement chez l'enfant. De même, de nombreuses recherches soulignent l'importance du jeu libre et des interactions sociales. Les parents devraient offrir à leurs enfants des jouets qui favorisent le jeu libre, stimulent l'imagination et encouragent les interactions sociales*[1].

De fait, il existe peu d'éléments probants pour appuyer d'éventuels liens entre jeux éducatifs et développement intellectuel. Certains fabricants de jouets apposent cette étiquette sur leurs produits pour mousser les ventes, sans qu'aucune étude n'ait démontré leur effet sur l'apprentissage de l'enfant.

Par ailleurs, les jouets de ce type sont peu polyvalents. Le plus souvent, il n'y a qu'une seule façon de les utiliser. Imaginons un jouet sur lequel divers objets sont représentés par des boutons. En pressant l'un de ces boutons, le mot correspondant à l'objet se fait entendre. Il faudra être très inventif pour utiliser ce jouet de façon ludique. On pourrait, par exemple, inventer une histoire et demander à l'enfant de trouver le bouton correspondant chaque fois qu'un mot est mentionné. L'enfant pourrait participer encore plus activement si, au moment où un mot est requis dans l'histoire, le conteur arrête son récit et le laisse choisir l'objet puis appuyer sur le bouton correspondant pour produire le mot attendu. On le voit, l'adulte doit clairement user d'imagination pour que l'enfant puisse utiliser ce jouet de différentes façons. Avec un jouet si peu polyvalent, le plaisir risque d'être rapidement évacué chez l'enfant. Plus encore, si le parent n'offre que des jouets éducatifs à son enfant, celui-ci risque d'apprendre à jouer de manière répétitive, sans développer sa fantaisie personnelle. Or, les meilleurs jouets sont ceux qui laissent le pouvoir à l'imagination.

Par ailleurs, plusieurs acquis peuvent être faits avec du matériel de jeu très simple. Par exemple, l'enfant peut apprendre à associer les objets de même grosseur, de même forme ou de même couleur à l'aide de boîtes, de casseroles ou de pots de yogourt. Avec un tel matériel, il fera aussi l'expérience du contenu/contenant, de l'emboîtement et de la superposition en plus d'aborder la notion des nombres.

Est-ce à dire qu'il faut bannir les jouets éducatifs? Non, mais il faut y avoir recours avec parcimonie — d'autant plus qu'ils sont souvent chers — et ne pas les considérer comme supérieurs à tous les autres.

Il existe toutefois des jouets dits éducatifs particulièrement intéressants pour le très jeune enfant. Pensons au portique d'activités sous lequel le jeune bébé peut être couché et qui lui permet d'entendre des sons et de voir des couleurs variées, l'incitant à être actif, ou au mobile musical qui fait entendre une douce musique et qui prédispose au sommeil.

Et les jouets maison ?

> *N'importe quel marchand de jouets vous le confirmera :*
> *ce n'est pas compliqué d'amuser un enfant...*
>
> Grenon et Goupil
> Extrait de *Le Guide des grands-parents*

Nul besoin que le jouet soit manufacturé pour amuser l'enfant. De nombreux objets dans la maison peuvent constituer du matériel de jeu inédit.

Le plastique et le carton

Ainsi, des bouteilles en plastique (de shampoing, de liquide à vaisselle…) peuvent servir de jeu de quilles. Si elles sont trop instables, on peut les remplir de sable à moitié. Utilisant d'abord un ballon, puis une balle pour les faire tomber, l'enfant pourra développer ses habiletés de quilleur. Ces bouteilles peuvent aussi devenir des maracas : il suffit de les remplir de pâtes alimentaires multicolores et de bien visser le bouchon. Il faut toutefois les retirer des mains du bébé dès qu'il est capable de perforer le plastique ou de dévisser le bouchon.

Votre rouleau d'essuie-tout est terminé ? Proposez à l'enfant d'en faire une lunette de pirate en y ajoutant quelques décorations : papier de couleur, dessins, papier d'emballage usagé. Cet objet peut peut-être devenir un télescope ?

L'enfant peut également s'amuser à empiler et emboîter des contenants de plastique (genre Tupperware®, contenants de crème glacée ou de margarine). Il peut aussi faire semblant d'y préparer un mélange à muffins ou à gâteau en le brassant avec une cuillère de bois. Cette même cuillère se métamorphose en baguette quand ces contenants deviennent des tambours, une fois renversés. Fermés et percés d'une ouverture, ils se transforment en tirelires dans lesquelles l'enfant peut insérer des morceaux de carton de couleur, des blocs de bois ou tout autre objet.

Des verres, bouteilles ou plats de plastique résistants peuvent également devenir des jouets intéressants pour l'heure du bain. Ils permettent à l'enfant de remplir, vider, transvider, faire couler l'eau comme de la pluie ou peuvent servir de piscine à de petits personnages.

Les boîtes de carton offrent aussi beaucoup de possibilités. De taille moyenne, elles peuvent conserver les trésors de l'enfant, servir de lits pour l'ourson ou la poupée, ou encore de garage pour les petites autos. Collées les unes aux autres en position debout, elles deviennent les pièces d'une maison. Des boîtes plus grosses peuvent être transformées en maison miniature à décorer, en poste de télévision où l'enfant sera lecteur de nouvelles ou en théâtre de marionnettes. Une boîte de forme allongée se convertit facilement en tunnel ; l'enfant peut le traverser en rampant ou y faire rouler son camion.

De petits gobelets de lait, des bobines de fil en bois ou des bouchons de liège peuvent quant à eux être réunis pour devenir un serpent ou un bonhomme articulé.

Les vieux vêtements

Il ne faut pas oublier la valise de déguisements qui amuse les enfants pendant de longues heures. Elle peut contenir des vêtements, des chapeaux et des accessoires tels que sacs, foulards, ceintures ou porte-monnaie. En ajoutant de temps à autre un nouvel élément, on s'assure de maintenir l'intérêt des enfants. Le déguisement pourrait être le point de départ soit d'une histoire où chacun joue un rôle, soit d'un voyage imaginaire, soit d'un défilé de mode.

Du matériel de bricolage inusité

Il est également possible de faire des bricolages avec des objets qu'on peut trouver dans toutes les maisons. L'imprimerie avec des pommes de terre en est un bon exemple. Une fois le légume coupé en deux, on sculpte en relief des formes sur la partie blanche d'une des moitiés : étoile, pomme, visage souriant ou formes géométriques. L'enfant trempe par la suite la forme dans de la peinture déposée dans un plat peu profond (comme une lèche-frite), puis l'appuie sur une feuille. Il peut reproduire la forme autant de fois qu'il veut.

Et pourquoi ne pas faire des colliers avec des pâtes alimentaires ? Il suffit de peindre les pâtes de différentes couleurs et de les enfiler sur un fil résistant. Les colliers seront ensuite prêts à être offerts en cadeau à maman ou à grand-maman.

Divers objets usuels peuvent être proposés à l'enfant pour faire ses bricolages : carton de lait, bâtonnet de bois, vieille carte de fête, papier d'emballage, calendrier, boîte d'œufs, épingle à linge, assiette à tarte en aluminium, bobine de fil, bout de laine, ruban, bouton... En plus d'enseigner à l'enfant l'intérêt de recycler, ces matériaux stimuleront sa créativité et il pourra préparer des cadeaux qu'il sera tout fier d'offrir[2]. La nature regorge également de nouveaux matériaux pour les bricolages : cailloux, pommes de pin, feuilles et fleurs séchées, plumes, brindilles.

L'herbier

En automne, l'enfant d'âge scolaire aura plaisir à préparer un herbier en choisissant de belles feuilles, en les faisant sécher quelque temps entre les pages d'un livre épais puis en les collant dans un cahier. En plus de favoriser une sortie à l'extérieur, cette activité permet à l'enfant de reconnaître les différentes feuilles et d'apprendre le nom des arbres dont elles proviennent.

Le bois et le tissu

Du matériel sans fonction déterminée incite l'enfant à faire preuve d'imagination pour en décider l'usage. Ainsi des rebuts de bois — qui auront été sablés pour éviter les échardes — peuvent devenir un matériau de base pour faire des constructions. Des morceaux de tissu peuvent se transformer en couverture pour l'ourson, en nappe pour servir un pique-nique aux poupées ou en cape de super-héros.

Quels jouets peut-on fabriquer ?

Tapis et blocs d'éveil

Il est également possible de bricoler des jouets maison. Par exemple, il est facile de coudre un tapis d'éveil. Parmi les retailles de tissu que vous avez à la maison, choisissez-en qui sont de textures différentes : ratine, denim, fourrure, coton, velours, laine douce. En taillant des carrés de 15 cm puis en les cousant — trois carrés de large et six de long —, vous obtiendrez un rectangle. Cousu sur un drap, tout en laissant une ouverture sur un des côtés — qui se fermera avec un velcro —, ce tapis recouvrira soit un mince matelas, soit une couverture épaisse. Les rebords des tissus doivent être bien cousus pour qu'ils ne s'effilochent pas. Un tel tapis fournira au bébé différentes stimulations tactiles lorsque vous l'y déposerez. Vous pourriez également y coudre quatre ou cinq rubans pour attacher des jouets qui pourront être remplacés régulièrement.

Le même principe peut s'appliquer pour la confection de blocs tactiles qui intéresseront l'enfant dès l'âge de 4 mois. Il suffit de recouvrir chacune des faces de cubes de mousse ferme par un tissu de texture différente. L'enfant pourra alors toucher ces cubes, les lancer, tenter de les écraser. L'avantage est que ces cubes ne font aucun bruit et ne représentent aucun risque de bris pour les objets environnants.

Jouets en peluche et marionnettes

Il existe également des patrons pour coudre des jouets en peluche[3]. Assurez-vous toutefois d'utiliser un fil solide et de bonne qualité pour faire en sorte que, même en tirant avec force, les coutures résistent et le rembourrage ne s'échappe pas. Pour rembourrer une peluche, un bourrage de qualité, en polyester, est préférable aux chutes de tissu. De même, mieux vaut broder les yeux, le nez et la bouche qu'utiliser des boutons ou un entoilage autocollant ou thermocollant. Ces éléments brodés sont plus sécuritaires que des boutons ou des autocollants qui, eux, peuvent être arrachés.

Un gant de laine devient facilement une marionnette à doigts. Il suffit de broder des yeux et un sourire, ou de les faire en feutrine et de les coudre sur le bout de chacun des doigts. En enfilant le gant, l'enfant pourra s'amuser à faire toucher deux doigts ensemble pour que les personnages se donnent des bisous. Il s'agit d'un très bon exercice de coordination.

Un bas de laine qui a perdu son pareil n'attend que votre ingéniosité pour commencer une nouvelle vie de marionnette, que l'enfant pourra manipuler vers l'âge de 2 ans et demi ou 3 ans. Le pied du bas devient la tête de la marionnette, deux boutons solidement cousus représentent les yeux et un grand sourire peut être brodé ou cousu à partir d'une feutrine. Pourquoi ne pas y ajouter des tresses, des cheveux de laine ou des oreilles faites de feutrine? Ce nouvel ami pourrait être un animal ou un personnage fantaisiste.

Jouets à partir de boîtes de conserve

Pour les musiciens dans l'âme, il est aisé de fabriquer une batterie. Il suffit de renverser des boîtes de conserve de différentes grosseurs et de les relier entre elles avec du ruban gommé. Deux cuillères de bois font office de baguettes. Oreilles sensibles s'abstenir!

L'enfant peut également s'amuser à fabriquer un téléphone d'un autre âge avec deux boîtes de conserve réunies par une corde de quelques mètres. Après avoir enlevé le couvercle des boîtes, percé un trou à la base, introduit un bout de la corde dans chacun et formé un nœud, il pourra tenter de vous parler en utilisant la boîte de conserve comme microphone pendant que l'autre boîte vous servira de récepteur.

Cerf-volant

Pourquoi ne pas fabriquer un cerf-volant avec l'enfant? Dans sa plus simple expression, le cerf-volant requiert un losange de papier kraft sur l'endos duquel on fixe deux baguettes de bois avec du ruban adhésif. Une fois ces étapes effectuées, on coupe un bout de ficelle et on le glisse à l'endroit où les baguettes se croisent avant de faire un nœud. On relie ensuite cette ficelle à une autre, très longue et collée à la queue du cerf-volant. L'enfant peut décorer le papier kraft de dessins avant d'y fixer les baguettes de bois. Des bandes de papier crêpé (papier crépon) de couleur qui flotteront dans les airs apportent la touche finale.

Jouets en bois

Pour réaliser un jeu de tic-tac-toe, on dessine neuf carrés sur une base de bois, préalablement sablée puis peinte. Quatre carrés et quatre cercles en bois servent de pions. Après les avoir sablés, on les peint de couleurs attrayantes. De petits galets peints de deux couleurs peuvent aussi faire office de pions.

Pour l'enfant de plus de 5 ans, on peut également faire des échasses maison. Deux perches d'environ 125 à 150 cm (selon la grandeur de l'enfant) sont nécessaires. On peut les peinturer de belles couleurs. La base de chacune doit être recouverte d'un embout de caoutchouc pour une meilleure adhérence. On fixe un bloc de bois triangulaire sur chacune des perches, à environ 20 ou 25 centimètres du sol. En posant ses pieds sur ces blocs et en se tenant aux perches, l'enfant tentera d'avancer sans perdre l'équilibre, tel un acrobate.

Grand-papa peut aussi avoir la bonne idée de fabriquer un coffre aux trésors en bois pour l'enfant. Le nom de ce dernier pourrait y être inscrit avec des lettres peintes ou en bois. L'enfant pourra y conserver ses trésors les plus précieux, tout en ayant un souvenir de grand-papa. Si on opte pour un coffre plus grand, destiné par exemple à recevoir les jouets, il faudra penser à faire en sorte qu'il s'ouvre de l'intérieur au cas où l'enfant aurait l'idée de s'y cacher, et à y percer des trous d'aération pour éliminer les risques de suffocation. Le couvercle doit être léger, facile à soulever et comporter des charnières rigides et de bonne qualité pour éviter les blessures au cou causées par un couvercle trop lourd.

On peut également fabriquer un casse-tête pour l'enfant. Il suffit de coller une image de son choix d'environ 20 à 30 cm (un animal, des fleurs, une auto, un personnage favori de l'enfant…) sur une planche de bois préalablement sablée. Puis, à l'aide d'un crayon, on trace des formes arrondies sur l'image, qui seront ultérieurement découpées. Le casse-tête doit compter 4 pièces pour un enfant de 2 à 3 ans, 6 à 10 pièces pour celui de 3 à 4 ans, et 10 à 15 pour le « grand » de 4 à 5 ans. Après avoir découpé les pièces, on sable chacune d'elles, sur le dessous comme sur les côtés, et on y applique un vernis. Pour un cadeau plus personnalisé, pourquoi ne pas utiliser une photo agrandie de l'enfant comme motif de casse-tête ?

Tous les jouets en bois doivent présenter des formes légèrement arrondies, éliminant ainsi le risque que l'enfant se blesse sur des arêtes. La peinture et le vernis utilisés doivent également être non toxiques.

En fabriquant des jouets et en concevant des activités à partir d'objets usuels, l'enfant apprend que pour s'amuser, il n'est pas toujours nécessaire de posséder des jouets sophistiqués.

> **Aviez-vous déjà remarqué que…**
>
> La grosseur des jouets diminue à mesure que l'enfant avance en âge. Au gros camion de l'enfant de 1 ou 2 ans, celui de 4 ou 5 ans préférera les autos miniatures. L'enfant plus vieux s'amusera davantage avec de petits personnages et des figurines qu'avec les poupées du premier âge. Aux gros blocs de ses premières années, l'enfant préférera les petits blocs à mesure qu'il vieillit. Cela s'explique par le raffinement de ses habiletés de manipulation.

Où ranger les jouets?

Les jouets de l'enfant prennent rapidement beaucoup de place dans sa chambre. Quelle est la meilleure façon de les ranger? Comment inciter l'enfant à participer à ce rangement?

Les solutions les plus souvent utilisées pour le rangement sont le coffre à jouets et l'étagère.

Toutes deux présentent des avantages et des désavantages. Si on fait disparaître les jouets dans un coffre, la chambre est rapidement rangée. Par contre, les jouets se retrouvent pêle-mêle et l'enfant peut avoir du mal à trouver les pièces qui vont avec un jouet particulier. De plus, à la fin du jeu, l'enfant laissera fort probablement tomber ses jouets dans le coffre, augmentant ainsi le risque de les briser ou de les endommager.

Avec une étagère, l'enfant voit d'emblée l'ensemble de ses jouets et trouve facilement celui qu'il veut. Il peut aisément s'en saisir et, qui sait, peut-être le remettre à sa place tout seul (on peut toujours rêver, non?). Le plus souvent, il aura toutefois besoin d'incitation de votre part pour le faire et ranger sa chambre risque de prendre plus de temps qu'avec le coffre.

L'étagère doit être d'une hauteur appropriée pour l'enfant. Pour s'en assurer, on lui demande de poser la paume de la main à plat sur la plus haute tablette, sans lever les pieds du sol. S'il y parvient, on est alors certain qu'il pourra saisir chacun de ses jouets et voir tous ceux qui sont disponibles.

Coffre et étagère peuvent faire bon ménage, particulièrement si on leur assigne des fonctions différentes. Par exemple, on peut placer sur l'étagère les jouets utilisés le plus souvent par l'enfant et réserver le coffre pour ses trésors, ses vêtements et accessoires de déguisement ou encore ses peluches.

Outre le coffre et l'étagère, on peut regrouper les jouets qui vont ensemble dans des bacs en plastique transparent : un pour la pâte à modeler et ses différents accessoires, un autre pour les petites autos, un autre encore pour le matériel de bricolage. Cette méthode aide l'enfant à retrouver rapidement le jouet ou le matériel qu'il cherche. Les bacs en plastique peuvent également recevoir les jouets qui comportent de nombreuses pièces. Sur chaque bac, on appose une étiquette indiquant ce qu'il contient ; pour un enfant plus jeune, on fait un dessin ou on découpe, dans un catalogue, une image représentant le contenu. Les jouets plus lourds, comme un gros camion, devraient rester sur le plancher pour éviter tout risque d'accident à l'enfant qui veut s'en saisir.

Des pochettes à chaussures suspendues à la porte du placard sont une solution intéressante pour ranger les petites peluches ou d'autres objets de petite taille.

Il faut éviter d'utiliser des sacs de plastique pour ranger les jouets. C'est là un matériau dangereux pour un jeune enfant qui pourrait avoir la mauvaise idée de mettre le sac sur sa tête.

Comment inciter son enfant à ranger ses jouets ?

Tout jeune, l'enfant range ses jouets sans trop de problèmes. Mais à l'âge de 3 ou 4 ans, c'est une autre histoire. À l'âge de 5 ou 6 ans, la situation ne s'améliore pas nécessairement. L'enfant trouve que ranger est une perte de temps et une activité ennuyeuse. Alors pourquoi ne pas la rendre ludique ? L'enfant aime regrouper les choses par catégories. On peut l'inviter à faire dormir toutes ses poupées à l'endroit approprié ou à rentrer ses camions et autos au garage pour la nuit. Ainsi, ses jouets dormiront bien et seront en forme pour jouer le lendemain.

L'ourson préféré de l'enfant (ou son ami imaginaire) peut parfois venir à la rescousse. Il ne sait pas où vont les jouets de l'enfant. Si ce dernier lui montrait où chacun doit être rangé ? La magie aussi peut être utile. On peut dire à l'enfant : « Est-ce que tu veux faire un tour de magie ? Je ferme les yeux et je compte jusqu'à 20. Comme tu es un grand magicien, je suis certaine que tu réussiras à faire disparaître tous tes jouets du plancher. On essaie ? » Il faut compter lentement et, surtout, féliciter l'enfant pour son tour de magie réussi.

Il est bon d'avertir l'enfant qu'il devra ranger ses jouets : « Il te reste cinq minutes pour jouer ». Même s'il n'a pas encore une notion du temps bien précise, il comprend qu'il devra cesser son activité très bientôt et ranger. Pour augmenter sa motivation, on peut annoncer une activité qu'il aime et qu'il pourra faire une fois ses jouets ramassés : « Quand tu auras rangé tes jouets, nous irons faire une promenade (ou je te raconterai une histoire, ou tu pourras regarder ton émission de télévision préférée). »

Une fois la chambre en ordre, faites remarquer à l'enfant qu'elle ressemble à un magasin de jouets où tout est bien rangé et qu'il lui sera facile de trouver ce qu'il cherche. Cela peut l'aider à conserver cette bonne habitude.

Et le rangement des souvenirs de l'enfant ?

Les souvenirs des enfants prennent aussi probablement beaucoup d'espace. Une boîte identifiée pour chacun d'eux permet de conserver un ou deux vêtements, un ou deux jouets du temps où ils étaient bébés, leur bracelet de naissance reçu à l'hôpital, leurs premiers bricolages. Cette boîte trouve aisément sa place sur la tablette du haut dans la penderie de l'enfant.

Les dessins et bricolages peuvent être photographiés pour constituer un album souvenir que vos enfants auront plaisir à feuilleter. Cela réduit considérablement l'espace requis pour les conserver.

Vous vous rappelez ce que vous disait votre mère ? « Une place pour chaque chose et chaque chose à sa place. » Cette maxime est toujours valable et c'est maintenant à votre tour de la transmettre à vos enfants.

Comment aider l'enfant à partager ses jouets ?

Prêter ses jouets n'est pas facile pour l'enfant. Vers l'âge de 18 mois, alors que l'enfant aime jouer — non pas avec les autres, mais à côté d'eux —, il conçoit que tout ce qui est à sa portée est à lui. Pour défendre ses biens, il peut crier, trépigner, tirer les cheveux ou mordre l'autre.

Par ailleurs, l'enfant aura toujours plus envie du jouet que son copain ou son frère tient en main. Pourquoi ? Anne Bacus nous donne une intéressante réponse :

> *Le jouet posé par terre ne bouge pas, il n'est pas animé, il n'amuse personne. En revanche, le même qui est dans la main du copain, est un jouet vivant : il bouge, il amuse son propriétaire, il occupe son attention. C'est donc celui-là qu'il souhaite. Pour que l'enfant désire le jouet qui est devant lui, c'est tout simple il suffit de le prendre en main et de commencer à jouer avec en montrant son plaisir pour voir l'enfant s'y intéresser*[4].

En d'autres mots, il suffit de rendre le jouet vivant.

- Vers l'âge de 2 ans, l'enfant commence à comprendre que tel jouet lui appartient, mais qu'un autre ne lui appartient pas. Il commence à intégrer tout doucement la notion de propriété. Comme cette notion est toute nouvelle, il n'est pas encore très enclin à partager. Par ailleurs, l'enfant est égocentrique à cet âge (un trait à ne pas confondre avec l'égoïsme) : il ne voit que son point de vue et il est indifférent à celui de l'autre. Il ne comprend pas le désir de l'autre d'avoir son jouet. De plus, il ne saisit pas le caractère provisoire du prêt ; s'il acquiesce à la demande de l'autre, il craint de ne pas récupérer son bien. En refusant de partager, il tente, en fait, de défendre ses propriétés.

- L'échange est un premier pas vers le partage. Il est plus facile pour l'enfant de faire un échange de jouet qu'un prêt puisqu'il obtient quelque chose en contrepartie. Vers l'âge de 3 ans, il acceptera de temps à autre de prêter ses jouets, mais il y aura encore des querelles entre les enfants à ce sujet.

Vers l'âge de 4 ans, l'égocentrisme diminue et l'enfant prend graduellement conscience des droits des autres. Il accepte de partager ses jouets et d'attendre son tour. Lors de conflits, les gestes agressifs sont remplacés par des paroles, ce qui témoigne d'une certaine maturité. Il est plus enclin aux compromis, tout en étant capable de faire sa place dans le groupe.

Pour aider l'enfant à comprendre la notion de propriété, on peut jouer à « À qui est-ce ? » avec les vêtements qui sortent du sèche-linge. En lui montrant une des chemises de son père, on lui demande avec le sourire « Est-ce à toi ?, Non, tu as raison, c'est à papa. Et cette jupe est à toi ? Bien sûr que non, c'est à ta sœur. Et ce pantalon ? Oui, c'est bien à toi. » On peut aussi jouer à ce jeu avec des objets de la maison : « À qui est ce ballon ? Oui, c'est le tien. Et cette brosse ? Oui, c'est ma brosse. Et la table ? Elle est à tout le monde. »

Pour aider l'enfant à comprendre le principe de l'échange, l'adulte qui joue avec lui peut lui en offrir l'expérience. « Si je te prête mon camion, puis-je avoir ton auto rouge ? » Bien sûr, on lui remet son auto peu de temps après. De la sorte, l'enfant comprend le caractère provisoire de l'échange. Par la suite, on passe au prêt proprement dit : « J'aimerais avoir le ballon une minute. Peux-tu me le prêter ? » Il lui est plus facile de prêter ses choses à un adulte qu'à un enfant : il a davantage confiance que l'objet lui reviendra.

Quand survient une querelle, mieux vaut aider l'enfant à trouver des solutions plutôt que de la régler à sa place.

« Camélia ne veut pas te prêter l'ourson ? Que pourrais-tu faire ? » On peut aussi aider l'enfant en lui donnant des exemples de phrases appropriées à utiliser : « Tu peux demander à Jade de te prêter son crayon rouge quand elle aura fini… », « Tu peux dire à William que, toi aussi, tu veux glisser. » Vous lui montrez ainsi à exprimer ses désirs avec des mots plutôt qu'avec des gestes agressifs.

Les jouets ont-ils un sexe ?

Féminité et virilité se forment-elles à travers les jeux de la petite enfance ? En tant qu'adultes, nous sommes parfois étonnés, sinon inquiets, de voir notre fils s'intéresser aux poupées et à la cuisinière miniature. Le fait que notre fille aime les jeux de construction ou les autos nous surprend également, mais la situation soulève souvent moins de malaise. Ces réactions viennent-elles de notre crainte que ce choix de jouets puisse influencer l'orientation sexuelle de nos enfants ? Le comportement des garçons et des filles est-il inné ou conditionné par leur environnement ? C'est un débat qui a cours depuis de nombreuses années.

Si le comportement de l'enfant est inné, c'est dire que le cerveau des filles et des garçons est différent. La neurobiologiste Lise Eliot, professeure à l'Université Rosalind Franklin, à Chicago, rejette cette hypothèse :

> *Notre cerveau n'a pas plus de sexe que notre foie ou notre pancréas !*[5] *C'est vrai qu'à la naissance, il y a de toutes petites différences entre les cerveaux des filles*

et des garçons. Dans l'utérus, les fœtus ne sont pas influencés par les mêmes hormones. Les garçons sont davantage exposés à la testostérone, ce qui explique probablement pourquoi ils sont plus actifs. De leur côté, les bébés filles sont plus paisibles. Mais ces dissemblances sont minimes ; elles sont bien plus modestes que celles qui existent entre les cerveaux des femmes et des hommes adultes, ce qui milite en faveur de la thèse de l'acquis, de l'influence de l'environnement.

Se peut-il qu'inconsciemment et dès la naissance, nous conditionnions nos enfants à s'amuser avec des jouets propres à leur sexe ? Une réaction généralisée et facilement observable dans une pouponnière peut, en partie, répondre à cette question. De nombreux parents et adultes trouvent facilement des traits féminins à un nouveau-né de sexe féminin alors que devant un bébé garçon, ils notent une vigueur toute masculine. C'est ce que démontrent diverses études dans lesquelles des bébés étaient habillés de bleu ou de rose, peu importe leur sexe. Pour les visiteurs, il s'agissait assurément d'une fille si le bébé était vêtu de rose, et d'un garçon s'il était vêtu de bleu.

Spontanément, ce nouveau-né, qu'il nous semble déjà important de distinguer par son identité sexuelle, recevra des jouets en accord avec son sexe. On serait mal à l'aise d'offrir une poupée à un garçon et une auto de course à une fille.

Dans une étude, on a demandé à des mères de présenter une poupée à leur bébé. Quand il s'agissait d'un bébé fille, la mère souriait, parlait tendrement, approchait le visage de la poupée de celui de son bébé. Quand il s'agissant d'un bébé garçon, la mère souriait moins, démontrait moins de tendresse et tenait la poupée avec moins de douceur : cette situation ne leur apparaissait ni agréable ni naturelle. De fait, dans notre société, la poupée est en général réservée aux filles, alors qu'aux garçons, on offre des figurines. La poupée réfère aux activités de maternage alors que les figurines, dans les mains des garçons, servent davantage à des jeux d'action où le langage est moins présent.

Grâce à une étude menée en 2004 auprès de parents d'enfants de la naissance à 6 ans[6], on apprend que la différenciation sexuelle des jouets paraît moins importante aux yeux des parents qu'elle ne l'était il y a une trentaine d'années, mais que cette évolution ne s'est faite que dans un sens. Ainsi, les filles ont facilement accès à toutes les catégories de jouets si elles en expriment le désir, et ce, même si elles ne jouent qu'avec des jouets de « garçons ». Toutefois, les parents ont encore une certaine réticence à voir leur fils s'amuser avec des jouets à connotation féminine. La crainte que leur enfant soit homosexuel est particulièrement présente dans le cas des garçons. Ils n'ont accès aux jouets de « filles » qu'à certaines conditions : s'ils ont une sœur ou s'ils jouent avec ces jouets dits « féminins » de façon virile. Le malaise des parents envers le jeu de leur fils est accentué par la peur du jugement, du regard des autres, peur que le garçon se fasse ridiculiser s'il utilise des jouets traditionnellement destinés aux filles.

Le mythe voulant que l'éducation de l'enfant — incluant les jouets mis à sa disposition — soit la cause de l'homosexualité persiste. Or, l'orientation sexuelle n'est pas déterminée par les jouets. Elle émane de racines beaucoup plus profondes. Le fait que votre garçon prenne plaisir à jouer avec des poupées ne signifie pas qu'il deviendra homosexuel, pas plus que de lui interdire ce jeu n'assurera son hétérosexualité.

Outre les adultes dont les réactions conditionnent l'usage des jouets, les marchands font aussi cette division selon les sexes. Il suffit d'ouvrir un catalogue de jouets ou d'entrer dans un magasin pour constater que ceux-ci sont triés entre «jouets filles» et «jouets garçons». Ainsi, bien que le jouet en soi n'ait pas de sexe, les commerçants et les adultes leur en assignent un.

Comment évolue l'utilisation des jouets selon le sexe et le développement de l'enfant?

Jusque vers l'âge de 4 ans, les enfants explorent toutes les possibilités du jeu et ils ont un égal bonheur à utiliser les mêmes jouets. Garçons et filles s'amusent à faire des jeux de construction avec des blocs, à reproduire des scènes de la vie quotidienne avec des bébés, des services de vaisselle, des maisons, des petites autos, à se déguiser en divers personnages. Leur curiosité déborde des jouets qui leur appartiennent pour découvrir ceux des autres enfants, incluant ceux initialement destinés aux enfants de l'autre sexe.

Par la suite, les enfants commencent à adopter les stéréotypes de leur sexe et leurs intérêts de jeu se différencient. Leur liste de cadeaux au père Noël, par exemple, en témoigne. Le garçon demandera un coffre à outils, une voiture téléguidée, un robot alors que la fillette souhaitera recevoir une maison de poupées, des vêtements de princesse ou un salon de coiffure.

Des différences sont également visibles dans leur façon de jouer. Le garçon opte davantage pour des jeux d'action, utilisant beaucoup d'espace, alors que la fillette s'amuse à « faire semblant » et s'installe généralement à la table pour jouer. Il ne s'agit toutefois pas d'une règle vérifiable chez tous ; il faut compter sur les différences individuelles et le tempérament qui peuvent teinter les activités de deux enfants de même sexe.

À partir de leur entrée à l'école primaire, garçons et filles manifestent de plus en plus d'intérêt pour les jeux et les jouets identifiés socialement à leur sexe. De façon générale, ils préfèrent aussi jouer avec des amis du même sexe qu'eux. Les filles aiment se retrouver entre elles et s'adonner à des jeux de « filles » (confection de bijoux, bricolage, histoires…) et les garçons jouent à des jeux plus robustes (ballons, bicyclette, sports…) ou alors à un jeu vidéo. Toutefois, il peut arriver qu'un garçon souhaite apprendre à tricoter et une fille, à faire une maquette.

En conclusion

De nos jours, la différence entre les fonctions féminine et masculine s'estompe. N'y a-t-il pas des femmes chauffeuses de camion, policières et des hommes infirmiers, cuisiniers ? Il est normal que les modèles que voient nos enfants se reflètent dans leur jeu et, par conséquent, dans le choix de leurs jouets.

Les experts du développement considèrent qu'une variété d'expériences devrait être offerte à l'enfant, sans pression pour qu'il adopte un comportement typique de son sexe. Que l'enfant choisisse ce qui l'intéresse. Comme le dit Bruno Bettelheim[7] : « Nous devons accepter n'importe quel jeu pour ce qu'il est : une activité qui, à un moment précis, est très importante pour eux et qui n'engage en rien leur avenir. »

Si on observe l'intérêt de son enfant pour un jouet traditionnellement associé à l'autre sexe, laissons-lui satisfaire sa curiosité et multiplier les expériences. Les parents doivent élargir au maximum les horizons de leur petit, l'exposer à des univers multiples et valoriser toutes ses passions au lieu de limiter ses activités à celles qui lui ont été traditionnellement attribuées depuis des siècles. Interdire les jeux habituellement réservés à l'autre sexe par une vive réaction ne fait que créer un malaise chez l'enfant et risque de susciter par la suite une curiosité encore plus grande. L'interdit est tellement attirant ! Évitons les réactions excessives qui donneraient l'impression à l'enfant que, parce qu'il utilise des jouets qui ne lui sont pas destinés, il ne se comporte pas comme il le devrait. Ce n'est pas le cas. Mettons de côté nos conventions d'adultes, les normes parfois rigides qui régissent notre façon de voir et permettons à nos enfants de découvrir le monde selon diverses perspectives. Évitons surtout de créer un problème là où il n'y en a pas.

Notes

1. www.ccl-cca.ca/CCL/Reports/LessonsinLearning/LinL20100505EducationalToys-2.html [consulté le 7 mai 2013].
2. Pour des idées de bricolage selon l'âge, consulter le site www.teteamodeler.com/boiteaoutils/age.asp [consulté le 22 avril 2013].
3. http://chataigne.perso.sfr.fr/Liens/CoutureParronsJouets.htm [consulté le 22 avril 2013]
   Sur ce site, vous aurez accès à de nombreux patrons pour faire différents animaux en peluche, mais aussi des poupées, des marionnettes, des livres en tissus.
4. A. BACUS. *Le guide du jouet*. Paris : Marabout, 2002, p. 23.
5. L. ELIOT. *Cerveau rose, cerveau bleu - Les neurones ont-ils un sexe ?* Paris : Robert Laffont, 2011.
6. www.unionfemmesmartinique.com/uploaded/pdf/jouets_new.pdf [consulté le 14 mai 2013].
7. B. BETTELHEIM. *Pour être des parents acceptables*. Paris : Pocket, 2007.

Crédits photos

Page 111
Coffre à jouets Kidkraft
www.kidkraft.com

Bibliothèque
www.vertbaudet.fr

CHAPITRE 4

Choisir un jouet pour son enfant[1]

Maintenant, quand on rentre dans une chambre d'enfants, c'est plus une chambre d'enfants, c'est un magasin de jouets.
Fernand Raynaud,
Extrait du sketch *J'ai souffert dans ma jeunesse*

> Noé joue aux dames tout seul. Je lui demande : « Tu joues contre toi-même ? » « Oui et comme on est d'intelligence égale, c'est pas facile. »
>
> Noé, 10 ans[2]
>
> À la question de son papa : « Est-ce que je peux jouer avec vous moi aussi ? » Manel répond : « Euh… Bien sûr papa, mais quand tu seras plus petit. »
>
> Manel, 3 ans[3]

Choisir un jouet pour un enfant est un casse-tête pour de nombreux parents. En effet, comment choisir, parmi la panoplie de jouets disponibles sur le marché, celui qui conviendra le mieux à l'enfant ? Sur quels critères baser son choix ? Quels éléments doit-on considérer ? Quels jouets conviennent selon l'âge de l'enfant ? Y a-t-il des pièges à éviter ? Comment s'assurer de ne pas dépasser son budget ?

Compte tenu de l'investissement que représente l'achat de jouets, il est normal d'en espérer une utilisation optimale. On souhaite que l'enfant manifeste et maintienne un réel intérêt pour ce qu'on lui offre. Même si le jouet idéal n'existe pas en soi, on peut espérer trouver un bon jouet. Certains critères peuvent nous y aider.

Critères d'un bon jouet

Un bon jouet doit être attrayant. S'il est agréable à regarder, il sera plus agréable à utiliser. Quel que soit l'âge de l'enfant, l'aspect esthétique des objets qui l'entourent a de l'importance et choisir un jouet qui est joli est une façon de lui apprendre progressivement le sens du beau, même s'il arrive que l'enfant réclame des objets fluorescents repoussants ou des figurines de monstres hideux.

Un jouet approprié présente également un bon rapport qualité-prix. Les jouets très chers ne sont pas toujours ceux qui sont de meilleure qualité. Parfois, la mise en marché (marketing) du jouet vient en hausser le prix.

L'aspect sécuritaire et la durabilité

Pour des raisons évidentes, l'aspect sécuritaire d'un jouet est le premier critère à considérer. Vous trouverez au chapitre suivant différents types de jouets qui peuvent s'avérer dangereux et d'autres qui ont fait l'objet d'un rappel parce qu'ils représentaient un risque pour la sécurité de l'enfant.

Compte tenu de son coût, la durabilité d'un jouet doit également retenir l'attention. La qualité et la résistance du matériau utilisé doivent être examinées. Un jouet fait de matière plastique souple risque, par exemple, de se briser rapidement et de devenir dangereux alors qu'un autre fait d'un matériau plus résistant saura traverser les années. Un jouet à composantes complexes (engrenage, minuterie…) est souvent moins résistant et donc moins durable qu'un jouet plus simple. De plus, il est risqué d'égarer les pièces qui le constituent et les accessoires qui l'accompagnent. Si des pièces sont perdues, l'intérêt pour ce jouet disparaît rapidement. Ces critères de sécurité et de durabilité sont essentiels, mais ils ne sont toutefois pas les seuls à considérer avant d'acheter.

La polyvalence

La polyvalence compte aussi pour beaucoup dans le choix d'un jouet. Il y a plusieurs années, Dodson[4] proposait une façon simple d'identifier un bon jouet. Selon lui, si 90% du jeu provenait de l'enfant et 10% du jouet, il s'agissait d'un bon jouet. Cette façon d'évaluer est tout aussi valable aujourd'hui. Prenons par exemple les blocs de type Lego®. Ils ne deviennent véritablement un jeu que lorsque l'enfant décide d'être actif. En effet, les blocs sont complètement dépendants des initiatives et de l'action de l'enfant. S'il demeure passif, rien ne se passe. Ce type de jouets encourage l'enfant à mettre en œuvre ses habiletés créatives et son imagination : construire une tour, une auto, une maison, un train, un vaisseau spatial... C'est là un jouet polyvalent qui peut remplir différentes fonctions. Un camion est également un jouet polyvalent, puisque l'enfant peut le faire rouler, remplir sa benne d'objets ou de sable, lui faire grimper des côtes, effectuer des livraisons ou le stationner au garage parce qu'il a besoin de réparations.

On voit parfois un jeune enfant s'intéresser davantage à l'emballage d'un cadeau qu'au cadeau lui-même. Cet emballage (boîte, ruban, chou décoratif), inerte en soi, peut devenir un matériel de jeu fort intéressant si l'enfant en décide ainsi et lui trouve diverses fonctions ludiques. Il peut, par exemple, décréter qu'il est lui-même un cadeau en posant le chou décoratif sur sa tête. Il peut utiliser la boîte, selon sa grosseur, pour se cacher ou pour y faire dormir son ourson, ou encore utiliser le ruban comme ceinture pour sa poupée. Ce faisant, l'enfant transforme ce matériel d'emballage en jouet polyvalent.

À l'inverse, un jouet qui ne permet qu'une seule activité sera plus rapidement délaissé. Un train qui tourne inlassablement sur ses rails risque de provoquer, à court terme, un désintérêt chez l'enfant (même si papa y trouve un plaisir toujours renouvelé). Ce jeu repose davantage sur le matériel lui-même que sur l'action de l'enfant. Un jouet à piles pour lequel il faut presser un bouton pour faire avancer un petit animal sollicite très peu d'action de la part de l'enfant. Voilà un autre exemple de jouet limité dans son usage. Ce matériel de jeu invite l'enfant à la passivité et ce dernier finira par s'en lasser.

Plus un jouet est polyvalent, plus longtemps l'enfant s'y intéresse. En fait, ce type de jouets grandit en quelque sorte avec lui; tout au long de son développement, il l'utilise différemment. C'est ce qu'on pourrait appeler un jouet «évolutif». Sa durée de vie est nettement supérieure au jouet ayant un usage unique. Prenons l'exemple des blocs de bois: le bébé les saisit et les porte à sa bouche; le jeune enfant, quant à lui, construit des tours de plus en plus hautes et des ponts de plus en plus longs tandis que, quelques années plus tard, ces mêmes blocs serviront peut-être de piste d'atterrissage à un vaisseau spatial.

Le plaisir

Le critère ultime d'un bon jouet reste cependant le plaisir qu'en retire l'enfant. Le plaisir est indissociable du jeu et s'il en est absent, le jeu n'en est plus un. À l'inverse, si l'enfant s'amuse réellement avec un jouet, il en retire de nombreux apprentissages, et ce, même s'il doit faire quelques efforts physiques ou intellectuels. On met souvent plus d'énergie pour faire quelque chose qu'on aime. Et le jeu n'est pas synonyme de facilité.

Pour prolonger le plaisir avec un jouet, il peut être utile de considérer trois aspects: la nouveauté, la complexité et le défi.

La nouveauté

Si les mêmes jouets demeurent de longs mois à la vue de l'enfant, il en arrive à ne plus les voir. Les jouets sont alors relégués aux oubliettes. Afin de maintenir son attrait envers les jouets, sans pour autant en acheter continuellement, il est utile d'effectuer un roulement. Tous les trois mois environ, ou encore à l'approche d'un anniversaire ou de Noël, on range les jouets avec lesquels l'enfant ne joue plus pour les remplacer par d'autres. Quelque temps plus tard, on ressort les jeux qui avaient été rangés. Il y a fort à parier que l'enfant aura alors plaisir à redécouvrir ses jouets, qu'il les verra d'un œil nouveau et leur trouvera différents usages. Ainsi, l'ourson en peluche qu'il aimait cajoler quelques mois plus tôt deviendra un partenaire avec qui partager un repas ou à qui raconter une histoire.

Suggérer à l'enfant de combiner différents jouets contribue aussi à l'effet de la nouveauté. Si on propose à l'enfant d'ajouter des blocs de bois et des figurines à son jeu alors qu'il s'amuse avec ses petites autos, peut-être décidera-t-il que sa voiture est conduite par un personnage qui doit s'arrêter à différents magasins, représentés par les blocs, pour y faire des achats. Si on propose à l'enfant de combiner pâte à modeler et poupée, il pensera probablement à préparer des mets exquis pour ses bébés ou à faire un petit chien de compagnie pour sa poupée. En combinant différents jouets, on peut donc faire émerger de nouveaux scénarios de jeux.

La complexité et le défi

Le jouet doit aussi offrir une certaine complexité, inviter l'enfant à relever un défi. Si ce n'est pas le cas, l'enfant éprouvera de moins en moins d'intérêt et finira par trouver ce jouet ennuyant. Le défi proposé doit toutefois être perçu comme réalisable par l'enfant, sans quoi il se découragera et ne s'y intéressera plus. Il est donc important que le niveau de complexité soit adapté à l'âge et au stade de développement de l'enfant et lui permette une maîtrise graduelle du jouet.

Une fois connu et maîtrisé, le jouet perd bien sûr de son intérêt. Comment peut-on augmenter la complexité d'un jouet que l'enfant possède depuis quelque temps et lui proposer un nouveau défi ? Prenons par exemple un casse-tête que l'enfant a fait et refait plusieurs fois. Lorsqu'il s'en désintéresse, on peut l'inviter à refaire le casse-tête en retournant les pièces face contre table. Il devra alors reconnaître d'abord chacune des pièces à partir de leur forme inversée avant de les placer à l'endroit approprié. Ce sera là une activité non seulement nouvelle, mais plus complexe pour l'enfant. L'enfant plus jeune peut quant à lui tenter de refaire la tour d'anneaux gradués sans utiliser le support ou en fermant les yeux. Rendre l'activité de jeu plus complexe et proposer de nouveaux défis à l'enfant contribuent à la longévité des jouets.

En résumé

Un bon jouet est sécuritaire et durable. Il est polyvalent, requiert l'engagement actif de l'enfant et, surtout, lui procure du plaisir en proposant de nouveaux défis et un niveau de complexité adéquat.

Comment choisir un jouet?

Aucun jouet ne peut recevoir une étiquette universelle de bon jouet puisque chacun doit être approprié à l'enfant auquel il est destiné et que chaque enfant, comme on le sait, est unique et possède ses intérêts propres.

Devant la panoplie de jouets disponibles en magasin qui répondent aux critères d'un bon jouet, on peut se poser quatre questions pouvant aider à identifier celui qui conviendra le mieux à l'enfant.

1. **Où en est rendu l'enfant dans son développement?**

   Est-il intéressé à toucher, regarder, écouter? Cherche-t-il à imiter les activités des adultes qu'il observe, à «faire semblant»? Fait-il des constructions? Dessine-t-il? Peut-il imaginer des situations de jeu? Bricole-t-il? Lit-il? Le fonctionnement des objets le passionne-t-il? Aime-t-il jouer avec d'autres enfants? Préfère-t-il les jeux physiques? Est-il persévérant? Arrive-t-il à suivre des règles précises? Est-il intéressé par la science ou par les découvertes sur le monde végétal ou animal?

   Répondre à ces questions permet d'estimer les intérêts et les aptitudes de l'enfant. En situant son niveau de développement, on pose les bases sur lesquelles choisir le jouet. Peut-être se rendra-t-on compte qu'il y a un type d'activités que l'enfant n'a pas encore exploré. Il faut bien sûr tenir compte des intérêts de l'enfant dans le choix d'un jouet, mais il est aussi judicieux d'en faire naître de nouveaux.

2. Que stimule ce jouet ?

Après avoir considéré l'enfant, il est bon de s'attarder au jouet qu'on pense acheter. Que peut-il apporter à l'enfant ? Stimule-t-il la perception des formes et des couleurs, ou encore la compréhension du fonctionnement des objets ? Requiert-il de la dextérité ? Favorise-t-il l'exploration de l'espace, la communication, l'expression de sentiments ? Stimule-t-il les capacités d'imitation de l'enfant ou son imagination ? Permet-il de créer, de faire des constructions ou de développer des interactions avec les autres ? Demande-t-il des habiletés particulières (stratégies, mémoire…) ? Peut-il être utilisé de différentes façons (polyvalence) ? Favorise-t-il des apprentissages nouveaux (connaissances de la nature, des animaux, des planètes…) ?

Ce questionnement permet d'évaluer le potentiel ludique du jouet et ce qu'il peut apporter à l'enfant dans son développement. En tenant compte des réponses, il est possible d'évaluer si la stimulation du jouet est adaptée au niveau de fonctionnement de l'enfant, si l'action attendue correspond à ses habiletés actuelles ou naissantes et si le jouet offre un défi adéquat à l'enfant.

3. Qu'ajoute ce jouet à ceux que l'enfant possède déjà ?

Avant de procéder à l'achat, il faut également considérer les autres jouets de l'enfant et se demander ce que celui-ci y ajoute. Une expérience nouvelle encourageant un aspect développemental que ses autres jouets ne stimulent pas ? Une nouvelle source de défi en lien avec les capacités actuelles ou futures de l'enfant ? Une réponse affirmative à ces questions confirme que le jouet sera un complément aux jouets que l'enfant a déjà et non une duplication de ce qu'il possède.

Gabriel

Gabriel, 30 mois, est curieux et explore beaucoup son environnement. Chaque armoire l'attire, chaque nouvel objet le fascine. Il aime regarder des livres, faire des casse-tête, jouer au ballon et gribouiller. Il parle beaucoup. Ses parents lui ont acheté un magnétophone. Intrigué par son fonctionnement, Gabriel explore et découvre l'usage de tous ces boutons qui ont chacun une fonction précise. Il s'amuse à enregistrer les chansons et les comptines qu'il connaît. Plus tard, il pourra utiliser le magnétophone pour faire semblant d'être un lecteur de nouvelles ou un chanteur populaire. Ce jouet grandira donc en quelque sorte avec l'enfant. Un magnétophone n'est pas salissant et le volume peut être réglé. C'est donc un jouet approprié pour Gabriel, d'autant plus qu'il représente un complément aux jouets qu'il possède déjà.

4. Qu'en est-il des considérations pratiques?

Ce jouet est-il fait d'un matériau résistant? Est-il sécuritaire, considérant l'âge de l'enfant? Est-il bruyant[5]? Fonctionne-t-il avec des piles qu'on devra acheter ou recharger souvent? Requiert-il de l'aide pour que l'enfant l'utilise? Est-il salissant? Comporte-t-il de nombreuses pièces? Son prix est-il abordable?

Il ne faut pas négliger de considérer ces différents éléments pratiques. Si le jouet n'est pas résistant, sa vie utile risque d'être courte. S'il est très bruyant, il peut, à long terme, avoir un impact négatif sur l'audition de l'enfant et sur la patience des parents. S'il contient beaucoup de petites pièces, l'enfant risque d'en égarer, ce qui rendrait le jouet moins intéressant. Ces divers aspects pourraient entraîner une sous-utilisation du jouet.

En résumé

Pour choisir adéquatement un jouet, en plus de garder en tête les critères d'un bon jouet (sécurité, durabilité, polyvalence, source de plaisir), il est souhaitable:
- d'estimer le niveau de développement de l'enfant;
- d'analyser le potentiel ludique du nouveau jouet en question;
- de dégager l'apport de ce nouveau jouet comparativement à ceux dont dispose déjà l'enfant;
- de considérer les aspects pratiques du jouet.

Pièges à éviter

Choisir un jouet trop complexe pour l'enfant

En tant que parent ou membre de la famille, on a souvent l'impression — ou on veut croire — que l'enfant est en avance sur son âge. On ne tient pas nécessairement compte de l'âge affiché sur l'emballage d'un jouet. Bien qu'il soit indiqué « pour enfants de 3 à 6 ans », on considère que l'enfant de 2 ans saura l'utiliser. Il peut y avoir alors un élément de sécurité en cause. En effet, les jouets destinés aux enfants de moins de 3 ans font l'objet de précautions plus grandes que les autres, entre autres en ce qui a trait aux petites pièces que le jeune enfant pourrait ingérer. Choisir un jouet non approprié pour un enfant de 2 ans comporte donc des risques.

Par ailleurs, un jouet trop complexe pour l'âge de l'enfant risque de devenir une source de frustration pour lui. C'est le meilleur moyen pour qu'il s'en désintéresse, même lorsqu'il sera en âge de l'utiliser.

Lui offrir trop de jouets

Une surabondance de jouets peut « paralyser » le jeu de l'enfant, car il en arrive à ne plus les voir et à ne plus savoir avec lesquels jouer. Son intérêt à leur endroit s'émousse. André Michelet précise qu'il y a « un risque que l'abondance de jouets nuise à leur valeur, rende l'enfant blasé, indifférent ou dispersé et finalement contribue à faire de lui un citoyen consommateur, conditionné dès le jeune âge à recevoir beaucoup, à profiter peu…[6] »

Il ne sert à rien d'avoir 15 casse-tête, 10 marionnettes ou 30 petites autos. À la quantité, il faut préférer la variété. De la sorte, les aspects cognitifs, affectifs, sociaux et moteurs sont stimulés. Les jouets remplissent alors leur rôle premier en contribuant au développement harmonieux de l'enfant.

Plutôt que de toujours penser aux jouets quand arrive un anniversaire, on peut varier en offrant par exemple à l'enfant un abonnement à un magazine, des billets pour un spectacle ou une sortie qui sort de l'ordinaire.

Lui enseigner à utiliser un jouet

Un autre piège dans lequel l'adulte peut facilement tomber est de vouloir enseigner à l'enfant comment utiliser le jouet. Lors d'un anniversaire, nous offrons un jouet à un enfant et, spontanément, nous lui faisons la démonstration de tout ce qu'il est possible de faire avec cette merveille : « Regarde, quand je presse la manette, il y a de la musique ; quand j'ouvre la porte, on voit un personnage. »

Cet enseignement est nécessaire pour un jeune bébé, mais n'est plus approprié avec un enfant à partir de l'âge de 2 ans. L'enfant a alors le potentiel de développer sa façon propre de jouer. C'est un domaine dans lequel il excelle. Il n'a pas besoin de professeur de jeu. Plutôt que de montrer à l'enfant toutes les possibilités du nouveau jouet, on peut susciter son intérêt par des questions l'incitant à le découvrir par lui-même : « Il y a une porte ! Est-ce qu'elle s'ouvre ? Oh ! Il y a quelqu'un derrière ! Que se passe-t-il quand tu presses cette manette ? Eh ! Tu fais de la musique ! » De la sorte, on guide l'enfant, qui investit et s'approprie son jouet en en découvrant toutes les facettes et le fonctionnement. Par la suite, il utilisera ses ressources personnelles pour y jouer à sa façon.

S'il s'agit d'un nouveau jeu de société, les règles incluses doivent être consultées, bien entendu. Les lire avec l'enfant lui apprend à suivre des instructions, aspect qui lui sera également utile quand il voudra, par exemple, réaliser un modèle réduit.

Manifester un plaisir trop intense avec les jouets de l'enfant

Un autre piège qui guette certains adultes concerne l'intensité du plaisir qu'ils ont à s'amuser avec les jouets de l'enfant. Cela arrive surtout quand on lui offre les jouets qu'on aurait aimé avoir étant jeunes ou alors lorsqu'il reçoit un jeu qu'on a particulièrement apprécié durant notre enfance. Il peut alors arriver qu'on prenne une place telle dans le jeu qu'on substitue nos choix à ceux de l'enfant. C'est le cas, par exemple, de celui qui joue passionnément avec les petites voitures de l'enfant jusqu'à en oublier ou presque la présence ou les désirs de ce dernier. L'enfant est alors dépossédé d'un moment qui devrait lui appartenir, d'initiatives qui lui reviennent et de jouets qu'il devrait utiliser à sa guise.

Parfois, l'adulte entre en compétition avec l'enfant sans le vouloir. C'est le cas du parent qui, en retrouvant une activité de coloriage, de dessin ou de peinture très appréciée dans son jeune âge, ne voit pas le découragement sur le visage de l'enfant qui prend conscience qu'il est loin de pouvoir faire aussi bien que lui.

Il est donc primordial pour tout adulte qui joue avec un enfant de l'accompagner dans son univers de jeu, en lui laissant la place pour décider, imaginer et déployer ses capacités.

> ### Le jouet maison idéal pour un jeune enfant
>
> Il y a un jouet qui est sécuritaire, durable, polyvalent, solide, attrayant, qui présente un bon rapport « qualité-prix », qui s'adapte au niveau de développement de l'enfant et qui se trouve dans toutes les maisons.
>
> Vous avez trouvé ? Non ? Il s'agit d'un adulte couché par terre qui devient, pour un jeune enfant, une montagne à escalader, un mystère à explorer en passant par la bouche, les yeux, les oreilles, un géant qui dort, mais qui risque de se réveiller en tout temps et de l'attraper, un bateau qui tangue dangereusement sur une mer houleuse et qui requiert beaucoup d'équilibre, ou encore un partenaire pour faire des acrobaties.

Réduire le coût des jouets

Dans chaque famille, les jouets représentent un gros investissement. Comment diminuer le budget qui leur est dévolu ?

Pour éviter d'acheter des jouets qui risqueraient de ne pas correspondre aux goûts ou aux intérêts de l'enfant, on peut consulter l'éducatrice de ce dernier, une personne-ressource tout indiquée. En effet, elle peut identifier les jouets que privilégie l'enfant parmi tous ceux qui sont disponibles à la garderie.

Et pourquoi ne pas emprunter des jouets à une joujouthèque? Il en existe plusieurs dans différentes villes du Québec[7]. Ces organismes, appelés aussi ludothèques, permettent d'emprunter des jouets pour une période donnée. Ce sont, en quelque sorte, des «bibliothèques de jouets». L'enfant aura alors accès à une variété de jouets sans qu'il en coûte très cher. Il pourra les choisir et les essayer. Si l'un des jouets empruntés l'attire particulièrement, ses parents peuvent alors le lui offrir pour son anniversaire en étant certains de l'intérêt réel qu'il y porte. Cela leur évite, encore une fois, d'acheter des jouets qui ne seront pas utilisés.

Une étude menée en 2011 auprès de 527 familles comptant au moins un enfant de moins de 14 ans indique d'ailleurs que 8 mois après l'achat, 7 jouets sur 10 ne sont plus utilisés. Pour éviter cette situation, un site français offre deux plateformes aux familles[8]; l'une pour mettre en vente les jouets délaissés par leurs enfants afin que d'autres en profitent et une seconde pour leur permettre d'acheter des jouets mis en vente par d'autres parents. C'est là une belle initiative dont il faudrait considérer la mise sur pied au Québec.

Même si une telle ressource n'existe pas ici, on peut se rabattre sur les ventes de garage*, qui sont légion, surtout au printemps. Il est alors possible d'y trouver des jouets en bon état qui sauront intéresser les enfants**. Certaines municipalités proposent également des échanges de jouets à quelques reprises durant l'année. Ces événements sont habituellement annoncés dans les journaux locaux.

Des jouets pour tous les âges

À mesure que l'enfant grandit, ses intérêts évoluent et le matériel de jeu qui l'intéresse aussi[9].

De la naissance à 6 mois

Au cours des premiers mois, le bébé joue avec ses mains et ses pieds et observe ce qui se passe autour de lui. Il peut suivre des yeux un objet qui se déplace. Son attention est attirée par les caractéristiques sensorielles des objets : contraste, brillance, couleurs, mouvement, sons et textures. Il les regarde, les touche, écoute les sons qu'ils produisent. Jusque vers l'âge de 3 mois, les contrastes (par exemple, une forme géométrique noire sur un carton blanc) captent davantage son attention que les couleurs elles-mêmes. Le bébé s'intéresse également au visage : il regarde intensément celui de sa mère qui le nourrit.

Pendant les premiers mois, le bébé peut garder en main un objet qu'on y dépose. Il ne s'agit pas d'un mouvement volontaire, mais du réflexe d'agrippement. Cela lui permet toutefois un premier contact avec les objets. Jusque vers

---

* Au Québec, on emploie l'expression « vente de garage » alors qu'en Europe, on utilise plutôt « vide-grenier », « braderie » ou « foire aux puces ».

** Voir les normes à respecter pour vendre des jouets dans les ventes de garage au chapitre suivant.

l'âge de 3 mois, lui parler, le bercer, lui fredonner des chansons et l'entourer d'une décoration stimulante suffit à son développement.

> ### Léa
>
> Bébé Léa est fascinée par le miroir posé sur le mur près de la table à langer. À chaque changement de couche, elle regarde intensément la lumière et les objets qui s'y reflètent. Il y a toujours du mouvement dans cette glace. Il faudra encore plusieurs mois avant qu'elle reconnaisse son image ou celle de sa mère dans le miroir, mais ce dernier l'intéresse déjà vivement.

Vers l'âge de 4 ou 5 mois, l'enfant commence à saisir volontairement les objets et à faire interagir ses yeux et ses mains. C'est le début de la coordination œil-main : les yeux indiquent aux mains la cible à atteindre. Les jouets deviennent alors importants. L'enfant apprécie tout jouet qu'il peut regarder, écouter, mordre et prendre dans ses mains. Il est encore plus captivé si le jouet fait du bruit. Vers l'âge de 6 mois, il porte les objets à sa bouche et les « goûte », en quelque sorte. C'est une autre façon pour lui de découvrir les propriétés des objets, telles que leur texture et leur résistance.

> ### Jouets de la naissance à 6 mois
> Mobile, hochet, jouet de dentition, jouets qui flottent dans le bain, qui émettent des sons, tapis d'éveil, peluches, boîte à musique.

De 6 à 18 mois

Sur le plan de la motricité globale, soit celle qui implique tout le corps, l'enfant peut prendre et maintenir la position assise, commence à marcher à quatre pattes puis fait ses premiers pas, en s'appuyant d'abord aux meubles avant de parvenir à le faire sans aide. Ces habiletés locomotrices lui permettent d'explorer son environnement. Quand il marche de façon autonome, il aime tirer ou pousser un jouet, puis s'amuse en chevauchant un jouet sur roues.

Du côté de la motricité fine, à partir de l'âge de 6 mois, l'enfant tend la main vers un objet après l'avoir localisé visuellement. Il manipule alors des objets de différentes formes et comprend l'effet que ses propres actions ont sur ses jouets. Par exemple, quand il secoue un hochet, celui-ci émet un bruit : la réaction obtenue l'incite à le bouger une nouvelle fois. Ces apprentissages expliquent aussi son intérêt pour les portiques d'activités qui lui permettent, par ses mouvements, d'allumer une lumière ou de produire un son.

Lorsque l'enfant maîtrise bien la position assise, ses mains sont libérées, lui permettant de s'adonner à de nouvelles activités. Il frappe les objets ensemble, les cogne sur le bord de sa chaise haute, les transfère d'une main à l'autre. Vers l'âge de 10 mois, il s'amuse à emplir et vider inlassablement les contenants, à les ouvrir et les fermer. Cela l'aide à comprendre graduellement que l'objet est permanent, c'est-à-dire que même s'il ne le voit plus, il existe toujours. Le jeu de « coucou » y contribue également. Il aime faire rouler le ballon, il commence à emboîter les objets et à les empiler. Vers l'âge de 8 ou 10 mois, les livres cartonnés commencent aussi à l'intéresser[10]. Comme les pages de ces livres sont épaisses, il réussit à les tourner. Quelques mois plus tard, il saura le faire avec un livre ordinaire. Le livre est d'autant plus attirant pour l'enfant que les images sont simples, claires et de couleurs vives. Les livres tactiles présentant différentes textures à toucher lui plaisent aussi. Les abécédaires et les imagiers lui offrent quant à eux de multiples images à regarder et à pointer.

Maxime

À 15 mois, Maxime aime chevaucher son canard sur roues et se promener partout dans la maison. C'est un enfant qui adore bouger. Construire des tours avec ses blocs de bois lui plaît, mais elles ne montent jamais très haut et il a encore plus de plaisir à les faire tomber.

À partir de 12 ou 15 mois, l'enfant aime aussi imiter des gestes simples de papa et maman comme parler au téléphone ou « lire » un livre. À cette étape de son développement, il apprécie la présence des autres enfants, mais ne partage pas ses jouets et ne joue pas véritablement avec eux. Vers l'âge de 18 mois, il reconnaît son image dans le miroir.

> **Jouets de 6 à 18 mois**
>
> Portique et tableau d'activités, jouets de différentes formes, contenant à remplir et à vider, pyramide d'anneaux, jouets à emboîter, à empiler, à pousser, à tirer, à chevaucher, pour imiter (téléphone…), jouets de bain, peluches, instruments de musique (xylophone, tambour…), blocs de bois, livres d'images avec pages cartonnées, en tissu ou en vinyle pour le bain, livres tactiles, abécédaires, ballon.

De 18 mois à 3 ans

Durant cette période, l'enfant passe du stade de bébé à celui de petit garçon ou de petite fille. Il commence à s'affirmer, à vouloir tout faire lui-même, et à le faire seul : « Moi, capable. Moi, tout seul ».

L'enfant manifeste de l'intérêt pour les jeux salissants : peinture aux doigts, sable ou glaise, par exemple. Il observe intensément le monde des grands et imite en temps réel les gestes, les attitudes et les expressions. Par la suite, il peut imiter une action passée : c'est l'imitation différée. Comme maman l'a fait hier, lui aussi prépare des biscuits… en pâte à modeler.

L'enfant de cet âge joue également au ballon avec plaisir, de même qu'avec de grosses briques d'assemblage. Ses habiletés de constructeur s'améliorent : il peut empiler quatre à six blocs. Il fait ses premiers dessins et ses premiers casse-tête. Il s'amuse aussi à insérer des formes dans des boîtes dont le couvercle est percé de trous. Il crève les bulles de savon avec son doigt. Vers la fin de cette période, il apprend à découper.

> ### Camille
>
> Camille a découvert les jeux de «faire semblant» il y a peu de temps avec ses livres d'images. C'est papa qui lui a montré ce jeu. C'est facile : on fait semblant que les objets dans le livre sont vrais. Camille peut faire semblant de manger la carotte, d'éteindre la lumière, de sentir le poisson ou le lilas, de lancer le ballon. Ce jeu la fait rire et c'est encore plus drôle quand papa ou maman joue avec elle.

Graduellement, l'enfant entre dans le jeu symbolique, c'est-à-dire qu'il peut se représenter un objet en utilisant un symbole de cet objet. Ainsi, sa balle rouge peut représenter une pomme. Il commence à utiliser les objets non seulement pour leur fonction première (faire des constructions avec des blocs, faire rouler un ballon, gribouiller avec un crayon...), mais leur trouve également de nouvelles utilisations (un crayon devient une baguette magique ou une cuillère pour nourrir son ourson). Il commence ainsi à «faire semblant» : le contenant de crème glacée devient un bol à mélanger, une banque ou un chapeau. Il utilise une cuillère de bois comme baguette de tambour.

L'enfant s'intéresse dorénavant aux livres illustrés, sans texte et représentant des actions simples : un bébé qui dort, un garçon qui s'habille, une fillette qui joue au ballon. Il aime aussi ceux qui représentent les couleurs, les parties du corps ou des animaux. Il réussit à tourner les pages, une à la fois. S'il en est au stade de jeu symbolique, il prendra plaisir à imiter l'adulte qui regarde avec lui un livre d'images si celui-ci fait semblant de manger la pomme, de souffler la chandelle ou de sentir la rose. C'est d'ailleurs un bon test pour savoir si l'enfant comprend le jeu symbolique, à savoir que ces différents objets ne sont pas réels, qu'ils ne sont qu'un symbole les représentant et qu'on joue à faire semblant qu'ils sont vrais. S'il ne réagit pas ou semble trouver la situation bizarre, c'est qu'il ne saisit pas encore le jeu de « faire semblant ».

Jouets de 18 mois à 3 ans

Jouets à chevaucher sur roulettes, crayons-feutres lavables, craies de cire, tableau noir et craies, peinture aux doigts, jouets d'association (jeux de mémoire), jouets pour « faire semblant » (coffre à outils, service de vaisselle, personnages, petites voitures, poupée...), animaux et personnages en plastique, poupée et accessoires, pâte à modeler, imagier, livre illustré avec peu de texte, livre d'histoires simples, ensemble de jardinage, bulles de savon, boîtes de carton, casse-tête (de 3 ou 4 morceaux), bac à sable, jeux de blocs, grosses billes de bois à enfiler sur un cordon, ballon, balle, ciseaux à bouts ronds, peinture, CD de contes et de chansons.

Les livres illustrés accompagnés d'un disque compact font aussi le bonheur de l'enfant. Il peut écouter l'histoire en se référant aux illustrations. Il commence aussi à aimer les magazines créés à son intention, comme *Popi*, un magazine d'éveil qui s'adresse aux enfants de 1 à 3 ans.

Vers l'âge de 2 ans, l'enfant joue non pas avec les autres, mais à côté d'eux : c'est le jeu parallèle. Un an plus tard, il peut jouer en harmonie avec d'autres enfants… quelques minutes.

De 3 à 5 ans

À cet âge, l'enfant aime faire des casse-tête et des constructions. Ses nouvelles habiletés de motricité fine lui font aussi apprécier le bricolage, le dessin et le découpage. Il peut souffler tout seul des bulles de savon. Vers l'âge de 4 ans, il tient son crayon de façon appropriée, soit entre son pouce opposé à son index et son majeur. Sur le plan moteur global, il est plus habile : ses gestes sont mieux maîtrisés. Il contrôle désormais le ballon ou la balle lorsqu'il joue, il fait du tricycle, de la trottinette, se balance, glisse, marche sur une ligne droite.

L'enfant puise abondamment dans son imagination pour créer un jeu. Il aime se déguiser et peut le faire avec un minimum d'accessoires : il suffit d'un linge à vaisselle noué sur ses épaules pour qu'il devienne Superman délivrant un ami aux prises avec de terribles ennemis, ou d'un chapeau rouge pour faire semblant d'être un pompier. L'enfant donne aussi vie aux objets qui l'entourent, leur prêtant intentions et sentiments :

il est à l'étape de la pensée animiste. La table contre laquelle il s'est cogné est méchante puisqu'elle lui a fait mal, son chien est triste, le caillou a peur qu'on le jette à l'eau. À partir de l'âge de 3 ans, beaucoup d'enfants se créent un ami imaginaire.

Gaspard, l'ami imaginaire

« Moi, j'ai un nouvel ami. Il s'appelle Gaspard. Mais personne d'autre que moi peut le voir. C'est mon ami imaginaire. On joue souvent ensemble dans ma chambre. Des fois, je dis à ma mère que Gaspard, lui, n'est pas obligé de prendre son bain tous les jours, mais elle me répond que dans notre famille, ce n'est pas comme ça que ça fonctionne. Nous, on doit prendre notre bain tous les jours. Je suis chanceux que Gaspard soit mon ami. Le soir, il couche dans ma chambre.

Durant la même période, l'enfant aime les véritables histoires qui comportent une situation initiale, des actions, une chute et un retour à la situation initiale. Il entre avec délice dans le monde des contes. À 3 ans, il apprécie les histoires qui comptent peu de personnages. Celles à trois personnages lui plaisent particulièrement : *Les trois petits cochons*, *Boucle d'or et les trois ours*. Jusqu'à l'âge de 5 ans, l'enfant a besoin d'illustrations pour suivre un récit, illustrations qui appuient le texte et qui font ressortir un aspect de l'histoire. Il aime aussi recevoir des magazines conçus pour lui, tels que *Abidou* ou *Pomme d'Api*.

↱ Les autres enfants sont dorénavant ses partenaires de jeux préférés. Avec eux, il apprend graduellement à exprimer ses désaccords à l'aide de mots plutôt que par des gestes agressifs.

> **Jouets de 3 à 5 ans**
>
> Maison de poupées, marionnettes, petits personnages, voitures, ciseaux à bouts ronds, ensemble de bricolage, jeu de construction, crayons de couleur, livres, chevalet et peinture, tableau avec craies, jeux d'adresse (quilles, anneaux, poches…), pâte à modeler, casse-tête, jeu d'imagination (garage, ferme, magasin…), déguisements et accessoires, tricycle, balançoire, glissoire, lecteur CD, livres de contes, magazines pour enfants, disques de contes et de chansons, instruments de musique (tambour, batterie, piano).

De 5 à 8 ans

L'enfant peut dorénavant « faire semblant » sans même l'aide des objets, buvant d'un verre imaginaire ou coiffant sa poupée avec une brosse invisible. Au cours de cette période, les scénarios de jeu deviennent plus élaborés : l'enfant sait organiser et imaginer des jeux. Il aime jouer des rôles : médecin, aviateur, princesse, policière. À cet âge, l'enfant est attiré par les héros et les gens en uniforme. Il développe aussi un intérêt grandissant pour les jouets miniatures : figurines, petites autos. C'est une période pendant laquelle beaucoup d'enfants commencent une collection : collants, roches, pièces de monnaies ou autre.

> ### Xavier
>
> Xavier aime beaucoup jouer à des jeux de société avec ses amis. Avec son ami Nathan, il aime jouer aux batailles navales : il ne gagne pas toujours, mais ça lui arrive souvent. Avec sa sœur, il joue aux cartes et surtout à Pige dans le lac, un jeu où il faut réussir à faire des suites de cartes. Parfois, le samedi, toute la famille joue au Monopoly Junior®. Xavier adore ça.

L'intérêt pour les jeux de règles apparaît chez l'enfant quand celui-ci a environ 6 ans. Les jeux qui comportent des directives à suivre, une structure, un objectif et qui requièrent des opérations et une organisation mentales, tel que les jeux de société ou certaines activités sportives, l'intéressent vivement. Parmi les jeux de société, il apprécie particulièrement ceux qui se rapprochent de la réalité, comme le Monopoly Junior®, Jour de paye® ou Bataille navale®.

À partir de l'âge de 6 ans, l'enfant a également une plus grande aisance corporelle ; il est mieux coordonné et a un meilleur équilibre. Ces diverses habiletés lui donnent accès à des jeux moteurs plus complexes : conduire un vélo, patiner, s'adonner à de nouveaux jeux de ballon, sauter à la corde, nager, skier, etc.

Ses habiletés de motricité fine se raffinent aussi et ses bricolages en témoignent. Il peut entre autres fabriquer des avions de papier et les faire voler. Il pourrait être intéressé à apprendre à tricoter, à coudre ou à faire des maquettes.

Dès son entrée à l'école primaire, l'enfant apprend à lire. Au départ, il affectionne particulièrement les livres contenant des textes courts qui lui permettent de mettre en pratique sa nouvelle habileté. Pour maintenir l'intérêt de l'enfant pour les livres, on peut par la suite lui offrir une diversité de lectures qui s'appuient sur ses goûts: histoires fantastiques, bandes dessinées, livres de documentation sur les sports, les animaux, les voitures, les métiers ou tout autre sujet d'intérêt. Certains magazines (par exemple *Les explorateurs*) sont tout à fait indiqués pour les enfants de plus de 7 ans. Chaque numéro de la collection *J'aime lire* propose également un court roman et des devinettes.

Sur le plan social, les amis de l'enfant prennent désormais une grande importance. Ils sont, le plus souvent, du même sexe que lui.

Jouets de 5 à 8 ans

Jeux de société, jeux de construction, bicyclette, jeux d'adresse, livres d'histoires, bricolage, livres de jeux (trouver les erreurs, labyrinthes…), livre de documentation, magazines pour jeunes, ballon de soccer, cerf-volant, jeux d'eau, peinture, maquettes à assembler, coffre de menuisier, jeux de table (cartes, dominos, casse-tête), poupée et accessoires, petits meubles et appareils ménagers, coffret de mécanique, jeu d'anneaux et de quilles, corde à danser.

De 8 à 12 ans

Vers l'âge de 8 ans, l'enfant est très sensible à la notion de justice. Il accepte difficilement que quelqu'un soit injustement puni ou qu'un autre triche pour gagner. Dans les jeux d'équipe, il démontre un esprit de compétition et met tous ses efforts à faire gagner son équipe. Ses amis sont très importants. Avec eux, l'enfant peut préparer une pièce de théâtre, un spectacle de marionnettes ou un récital de chant. La magie le fascine et il éprouve beaucoup de plaisir à montrer à son entourage les tours qu'il a appris. Un autre enfant peut se passionner davantage pour les expériences simples de chimie ou de physique. Les jeux de mots, par exemple les blagues qui s'appuient sur l'utilisation d'un même mot ayant deux significations (« Que se racontent deux dindes à Noël ? Une farce ») sont aussi très appréciés.

L'enfant d'âge scolaire a besoin d'un horaire équilibré incluant des activités structurées et libres, physiques et intellectuelles, intérieures et extérieures. Il est donc sage de superviser et de limiter le temps passé devant les écrans, car l'intérêt de l'enfant de cet âge pour ce type de divertissement (télé, ordinateur, tablette et téléphone intelligent) — surtout chez le garçon — fait en sorte qu'il peut y passer de longues heures. C'est d'ailleurs à cet âge que l'enfant commence à être attiré par les réseaux sociaux. Pourtant, l'âge minimum pour s'inscrire sur Facebook est de 13 ans.

Florence

Florence aime beaucoup visiter ses grands-parents à leur chalet. Il est situé près d'un lac et elle adore la nature. Elle peut se baigner, aller à la pêche avec son grand-père, faire du pédalo. Elle a appris à ramer : elle doit mettre sa veste de flottaison, bien sûr, quand elle va en chaloupe ou en pédalo. Cet automne, elle a ramassé des feuilles de différents arbres et s'en est fait un herbier dont elle est très fière.

En général, l'enfant aime les excursions dans la nature durant cette période. Ses collections se diversifient : roches, coquillages, porte-clés, timbres, monnaies. S'il a développé un intérêt pour les livres, celui-ci se maintient. Le magazine *Les débrouillards* intéresse particulièrement les enfants de plus de 9 ans.

Jouets de 8 à 12 ans

Jeux de société, ensemble de magie ou de chimie, modèles réduits, jeux d'adresse, romans jeunesse, bandes dessinées, circuits d'automobiles, jeux d'excursions, broderie, couture, tricot, albums de collection, jouets pour cuisiner, maquettes, casse-tête plus complexes, jeux de rôles, articles de sport, bicyclette, patins à roues alignées, théâtre de marionnettes, peinture.

Notes

1. Ce chapitre s'inspire de FERLAND, F. (2004). *Et si on jouait? Le jeu durant l'enfance et pour toute la vie*. Montréal: Éditions CHU Sainte-Justine.
2. www.enfandises.com/fr/bibliotheque/cat-27-jeux-et-jouets.html?page=2 [consulté le 13 mai 2013].
3. *Ibid.*
4. DODSON, F. (1972). *Tout se joue avant six ans*. Paris: Marabout. Ce livre a été réédité en 2012.
5. Pour plus d'information sur les risques que représentent certains jouets pour l'audition de l'enfant, voir *Les jouets sont-ils dommageables pour l'audition?* sur le site: http://lobe.ca/audition-langage-et-parole/aider-un-proche-audition-langage-et-parole/conseils-sante-aider-un-proche-audition-langage-et-parole/les-jouets-sont-ils-dommageables-pour-laudition/ [consulté le 5 mai 2013].
6. MICHELET, A. (1999). *Le jeu de l'enfant – progrès et problèmes*. p. 75, Québec, OMEP, ministère de l'Éducation.
7. http://meresetcie.com/les-joujoutheques-un-service-qui-gagne-a-etre-connu/ [consulté le 15 mai 2013].
   Ce site répertorie 19 joujouthèques à travers le Québec.
8. www.enfant.com/actu/Recyclage-ou-location-de-jouets-faites-des-economies-avant-Noel.html [consulté le 15 mai 2013].
9. Pour connaître davantage le développement de l'enfant aux différents âges, voir FERLAND, F. (2004). *Le développement de l'enfant au quotidien. Du berceau à l'école primaire*, 232 p. Montréal: Éditions du CHU Sainte-Justine. Pour une incursion dans le monde de l'enfant de 3 à 5 ans, voir FERLAND, F. (2010). *Mathilde raconte – L'univers de l'enfant d'âge préscolaire*, 115 p. Montréal: Éditions du CHU Sainte-Justine.
10. Pour connaître les intérêts de l'enfant pour les histoires et les livres à différents âges, voir: FERLAND, F. (2008) *Raconte-moi une histoire - Laquelle, pourquoi, comment?* 156 p. Montréal: Éditions du CHU Sainte-Justine.

CHAPITRE 5

Fabricants, réglementation et évaluation des jouets

La publicité est l'art de convaincre les gens de dépenser de l'argent qu'ils n'ont pas pour quelque chose dont ils n'ont pas besoin.

Will Rogers, acteur, scénariste et producteur américain

En 2012, le marché mondial des jouets représentait une industrie d'environ 80 milliards de dollars et 70 % des jouets vendus dans le monde étaient fabriqués en Chine[1]. Outre l'Asie, les principaux fabricants de jouets se retrouvent aux États-Unis et en Europe. Au Canada, le marché du jouet est évalué à plus de 2 milliards de dollars[2]. C'est dire que ce secteur d'activité représente beaucoup d'argent et nombreuses sont les personnes qui vivent de cette industrie.

Les fabricants de jouets mettent tout en œuvre pour que leurs produits attirent les enfants et ils y réussissent fort bien. Voilà pourquoi il est utile de sensibiliser l'enfant à la publicité et de l'aider à devenir un consommateur averti.

Avant la mise en marché, les fabricants sont tenus de suivre une réglementation et d'évaluer les jouets qu'ils produisent. En dépit de cette mesure, certains jouets peuvent être dangereux pour de jeunes enfants. D'autres doivent être retirés du marché à cause d'un problème de conception. En tant que parent, il est important de se tenir au fait de cette situation.

Réglementation

La *Loi canadienne sur la sécurité des produits de consommation* relatifs aux jouets précise différents règlements auxquels sont soumis les fabricants de jouets. Ces règlements concernent les dangers électriques, mécaniques, thermiques de même que les dangers d'inflammabilité et de toxicité[3]. De plus, cette loi apporte des précisions supplémentaires pour certains jouets spécifiques : poupées, jouets en peluche et jouets mous, jouets à tirer ou à pousser, jouets comportant de petites machines à vapeur, peintures appliquées avec les doigts, hochets, élastiques, balles de type yo-yo et piles électriques

Par ailleurs, en février 2012, le programme de certification Ecologo, une première norme environnementale destinée aux fabricants de jouets, a été lancé au Canada[4]. Cette norme DCC 172 exige des tests et des vérifications afin de certifier que les jouets ne contiennent pas de produits toxiques (carcinogènes, neurotoxines, toxines reproductives, agents antimicrobiens, métaux lourds). Selon Ecologo, les critères de cette norme répondent ou dépassent les exigences des États-Unis et de l'Union européenne concernant la toxicité des jouets. Elle impose également de strictes limites quant aux émissions de composés organiques volatils pouvant contribuer à l'asthme infantile.

En Europe, le fabricant doit procéder à une analyse des dangers chimiques, physiques, mécaniques, électriques, d'inflammabilité, de radioactivité et d'hygiène que le jouet peut présenter avant de le mettre sur le marché. Il doit évaluer l'exposition potentielle à ces dangers. De plus, il doit soumettre son jouet à une procédure d'évaluation de la conformité, un processus par lequel le fabricant établit que son jouet respecte les exigences réglementaires en matière de sécurité. S'il réussit l'évaluation de conformité, le jouet reçoit le « marquage CE ». Ce marquage signifie qu'il respecte l'ensemble des règles de sécurité de l'Union européenne, qui sont parmi les plus strictes au monde. Ainsi, quand le consommateur voit l'étiquette CE sur un jouet, il sait que le produit a subi un contrôle d'évaluation avant sa commercialisation et qu'il satisfait aux exigences de l'Union européenne en matière de santé, de sécurité et de protection de l'environnement.

Tant au Canada qu'en Europe, un fabricant de jouets doit donc garantir que ceux-ci ont été conçus selon des règles de sécurité générales et spécifiques.

Évaluation des jouets par les fabricants

L'Association canadienne du jouet précise qu'avant la mise en marché, les prototypes de jouets sont testés par différents individus : des parents, des psychologues, des enseignants, des spécialistes du développement de l'enfant et des experts en marketing[5]. On fait également des *focus groups* avec les premiers utilisateurs : les enfants eux-mêmes. On cherche à avoir l'avis de tous ces gens non seulement à propos de la sécurité, mais aussi de l'attrait du jouet, de son utilisation, de sa durabilité, de l'âge approprié et des améliorations à apporter.

Saviez-vous que...

Bojeux™, une firme québécoise, est le plus ancien et le plus grand fabricant de jeux de société en bois au Canada. L'entreprise se situe parmi les trois plus importants fabricants et distributeurs de jouets au Québec et dans les cinq plus grands d'un océan à l'autre. Elle est également la plus diversifiée des compagnies canadiennes de jouets. Ses produits originaux (tels Play Art™, Tutti Frutti™, Roll-O-Puzz™, Yum® et Matchitecture™) sont distribués dans plus de 40 pays[6].

Gladius, une autre maison québécoise, est quant à elle le plus grand manufacturier de jeux de société au Canada. En 2011, elle a mis en marché plus de 600 000 unités de jeux de société, dont 18 nouveautés. Ces jeux sont tous conçus et fabriqués au Québec[7].

Les grands fabricants tels que Fisher-Price ou Chicco possèdent leurs propres laboratoires de recherche dans lesquels les jouets sont testés par un personnel qualifié et par des enfants. Les parents apportent également leur contribution : après avoir utilisé le jouet à tester à la maison, ils transmettent au fabricant l'attitude de l'enfant face au jouet (amusement, curiosité ou désintérêt). Des modifications sont ensuite effectuées afin de rendre l'article le plus stimulant possible et de répondre au mieux aux attentes des enfants dans le respect des normes de sécurité.

Cela implique des coûts élevés pour les fabricants. Ainsi, Georges Gareau, de la maison Bojeux™, précise que pour une seule nouveauté, une somme de 10 000 $ à 25 000 $ peut être dévolue aux tests de laboratoire[8].

Âges recommandés

Sur la plupart des emballages, les fabricants indiquent l'âge des enfants auquel le jouet est destiné. À partir de recherches et de consultations d'experts relatives à la stature physique, au niveau d'habileté et à la maturité des enfants, l'âge approprié pour un jouet donné est établi. La plupart du temps, il s'agit de tranches d'âge (0 à 3 ans, 3 à 5 ans, plus de 6 ans).

La tranche d'âge de 0 à 3 ans est très large et on comprend aisément qu'un jouet qui intéresse un jeune bébé risque de ne plus intéresser un enfant de 3 ans et vice-versa. Pour cette catégorie, le plus important est d'éviter les jouets portant la mise en garde « non recommandé pour les enfants de moins de 3 ans ». Cela signifie que le jouet peut être dangereux pour l'enfant plus jeune.

Dans une famille où il y a des enfants d'âges différents, il faut être vigilant, car les jouets des enfants plus âgés pourraient représenter un danger pour les plus jeunes.

Évaluation des jouets par des associations de consommateurs

Depuis 1973, Protégez-Vous[9], un organisme sans but lucratif, autofinancé et entièrement indépendant, publie un magazine pour aider les citoyens à se faire une opinion éclairée sur les biens, les services et les enjeux liés à la consommation. Sur son site Web, Protégez-Vous publie régulièrement des avis, rappels et condamnations concernant des jouets[10].

En 1984, Option consommateurs a produit un premier guide de jouets. Dès l'année suivante, une alliance a été conclue avec Protégez-Vous qui publie depuis le guide annuel de jouets réalisé par Option consommateurs. Ce guide, qui paraît un peu avant Noël, est attendu avec impatience par les parents. Les nouveaux jouets de l'année y sont testés par plus de 200 enfants issus d'une centaine de familles. Chaque jouet est utilisé pendant deux semaines et testé par sept familles. Pour chaque jouet, les parents remplissent une grille d'évaluation[11].

Depuis 1952, le Conseil canadien d'évaluation des jouets[12], un organisme bénévole et indépendant, fournit aussi plusieurs données intéressantes. Après une utilisation de huit semaines, les jouets sont évalués par les parents, qui remplissent un rapport d'évaluation basé sur les critères suivants : la valeur du jouet, sa longévité, sa fonction, sa consommation de piles, sa conception et son assemblage. Cet organisme publie annuellement un rapport sur les jouets évalués, destiné à aider les consommateurs à choisir des jouets répondant aux besoins particuliers de leurs enfants. Tous les fabricants de jouets peuvent soumettre leurs produits à cet organisme. Il est aussi possible pour les consommateurs intéressés de s'inscrire sur le site Web de l'organisme pour participer à l'évaluation des jouets.

Risques associés aux jouets dangereux

Il est utile de connaître les risques associés aux jouets, non seulement pour les jouets manufacturés qu'on achète, mais aussi pour ceux qu'on fabrique à la maison et même pour les objets que l'enfant pourrait utiliser comme jouets. Selon Santé Canada[13], différents risques et dangers sont à considérer.

- **Les enfants de moins de 3 ans** ont tendance à mettre des objets dans leur bouche et risquent de s'étouffer avec de petits jouets, de petites balles ou de petites pièces faisant partie d'un jouet.

  Pour les enfants de cette tranche d'âge, il faut donc vérifier si le jouet présente un dispositif sonore non fixé ou détachable, si l'auto ou le camion a des roues, de petites pièces non fixées ou détachables, si les yeux, le nez et les autres petits objets fixés sur le jouet rembourré ou en peluche ne risquent pas de s'arracher. Nous verrons plus loin que plusieurs jouets ont été rappelés précisément parce que de petites pièces pouvaient s'en détacher et représenter un risque d'étouffement pour de jeunes enfants.

Il ne faut pas donner à l'enfant de moins de 3 ans des jouets en mousse, que ce soit une balle ou des personnages, afin d'éviter des problèmes de suffocation.

Pour les mêmes raisons, le matériel d'emballage du jouet (les sacs, les pellicules de plastique, la mousse de polystyrène, le papier collant ou les attaches) peut présenter un risque de suffocation ou de strangulation. Le papier journal, d'emballage ou les pages d'un catalogue ne devraient pas être utilisés comme jouets. Quant aux ballons gonflables, ils ne sont pas non plus appropriés pour un jeune enfant. Lors d'une fête, il faut donc jeter immédiatement les morceaux de ballons crevés puisque des fragments peuvent obstruer les voies respiratoires de l'enfant.

En fait, tout objet qui passe dans un rouleau de papier hygiénique cartonné représente un risque d'étouffement pour le jeune enfant de moins de 3 ans. Attention aux pièces de jeu de la sœur ou du frère aîné !

- **Les jouets munis de longues cordes ou de cordes extensibles** qui pourraient s'enrouler autour du cou de l'enfant présentent un risque de strangulation.

Les jouets à tirer (sous forme d'animaux, de téléphones ou de chenilles ondulantes, par exemple) dotés d'une corde de plus de 30 cm sont donc à proscrire pour le jeune enfant. Mieux vaut choisir un jouet avec une tige rigide.

- **Des jouets bruyants** utilisés trop souvent et trop longtemps peuvent endommager l'ouïe de l'enfant.

    Pour estimer le bruit d'un jouet, portez-le à votre oreille. C'est à cette distance que votre enfant l'entend. Si vous appréciez le son et le volume, il est fort probable que votre enfant en fasse autant. Si possible, optez pour des jouets dont vous pouvez régler le volume afin de diminuer ou d'éteindre le son.

    La législation actuellement en vigueur au Canada limite le bruit des jouets et des jeux électroniques à 100 dB à une distance de 30 cm. Cependant, la norme reconnue sécuritaire par l'Organisation mondiale de la Santé (OMS) est de 75 dB pendant 8 heures. Ainsi, un jouet qui émet un bruit de 100 dB pourrait causer des dommages à l'audition s'il est écouté pendant 2 à 15 minutes. De plus, les enfants sont souvent portés à mettre les jouets sonores près de leurs oreilles, donc à une distance plus courte que les 30 cm prescrits par la loi[14].

- **Les petits aimants puissants** peuvent constituer un risque si l'article qui contient l'aimant ou l'aimant lui-même est assez petit pour être avalé[15].

Une fois avalés, les aimants peuvent s'attirer mutuellement lorsqu'ils traversent les intestins. Les conséquences peuvent être très graves, voire mortelles.

Ces petits aimants puissants se retrouvent dans les jeux de construction, les poupées, les figurines articulées, les lettres et les chiffres magnétiques, les ensembles d'expériences scientifiques, le matériel d'artisanat, les jeux de société et les petites voitures. Enseignez à vos enfants à ne jamais mettre d'aimants puissants dans leur bouche.

Par ailleurs, il faut s'assurer que les piles sont hors de portée des enfants et insérées correctement dans le jouet par un adulte. Des piles mal positionnées ou mal choisies peuvent détériorer le jouet, couler et provoquer des brûlures. Il ne faut pas mélanger des piles neuves et des piles usagées, des piles alcalines et des piles au carbone pas plus que des piles rechargeables avec d'autres qui ne le sont pas. Il est recommandé de retirer les piles si le jouet n'est pas utilisé pendant quelque temps[16].

Avis de retrait de certains jouets par Santé Canada

La réglementation touchant la fabrication des jouets concerne principalement des normes de sécurité. Malgré tout le processus d'évaluation auquel est soumis le fabricant, il arrive que certains jouets s'avèrent dangereux. Régulièrement, Santé Canada émet des avis et des mises en garde sur les jouets et indique les retraits de certains d'entre eux du marché. En consultant régulièrement leur site[17], vous pourrez prendre connaissance de ces informations et, ainsi, vous assurer que les jouets que possède votre enfant sont sécuritaires. Il existe aussi un site européen qui signale les jouets considérés comme étant dangereux[18].

Voici quelques exemples de jouets qui ont fait l'objet d'un avis de retrait du marché par Santé Canada au cours de l'année 2012.

- **Jouets magnétiques Clingers Magnetic Personalities de Toy Maker of Lunenburg** (six jouets en bois: «Buzzy», «Maggy», «Wally», «Spacey», «Max» et «Dagbert»). Ces jouets comportent de petites pièces qui peuvent se détacher, provoquant un risque d'étouffement pour de jeunes enfants.
- **Théâtre de jeu de rôles 4 en 1 de Guidecraft Inc.** Le théâtre peut se renverser subitement lorsque l'enfant joue; ce dernier peut alors rester coincé. De plus, s'il se renverse, le jouet peut se briser en petits morceaux.
- **Ensemble de cinq casse-tête en bois avec support de rangement de KidConnection et voiture d'amusement Fast Wheels de Toy Galaxy.** De petites pièces de ces jouets peuvent se détacher et représenter un risque d'étouffement pour de jeunes enfants.
- **Véhicules et structures de jeu en bois Tumblekins.** Des pointes tranchantes peuvent être exposées lorsque de petites pièces se détachent du jouet, ce qui représente à la fois un risque d'étouffement et de lacération.

- **Poupée avec berceau Dolly Daydreams.** La tête de la poupée contient un phtalate, plus précisément du DEHP (di-éthylhexyle phtalate) dont la concentration excède la limite permise. Certains phtalates (y compris le DEHP) contenus dans des produits de plastique ou de vinyle souple pouvant être sucés ou mâchouillés pendant des périodes prolongées pourraient entraîner des troubles de croissance chez les jeunes enfants et, plus tard, des anomalies du système reproducteur.

- **Remorques, chariots, tricycles et brouettes d'ERTL**, jouets dont la vente est autorisée par John Deere ou Case. Le revêtement des produits Case et John Deere contient du baryum dont la concentration dépasse la limite permise par le Règlement sur les jouets du Canada.

- **Ensemble de pizza et jeu de pêche de Ningbo Ftz Zhengbao International Trading** (Chine)[19]. En février 2012, Santé Canada avisait les consommateurs de se défaire immédiatement de ces deux jouets. Destinés aux enfants de 3 ans et plus, ils contiennent du plomb en concentration supérieure à la limite permise. Les enfants peuvent ingérer une quantité nocive de ce métal s'ils mordillent, sucent ou avalent les éléments composant ces jouets. Même à des niveaux d'exposition très faibles, le plomb reste très toxique pour les enfants. L'exposition à ce métal a été associée à divers effets graves sur la santé, notamment de l'anémie, des vomissements, de la diarrhée, de graves lésions cérébrales, des convulsions, le coma ainsi que d'autres effets sur le foie, les reins, le cœur et le système immunitaire.

- **Figurines Little People de Fisher-Price** (fabriquées avant 1991). En mars 2010, Santé Canada avisait les parents, grands-parents et éducateurs en garderie de se débarrasser immédiatement de ces vieux jouets toujours populaires, en raison du risque de blessure grave ou de mort qu'ils posaient. La grosseur et la forme de ces figurines font en sorte qu'elles peuvent se coincer dans la gorge de l'enfant, empêchant l'air de circuler. Celles qui ont été fabriquées avant 1991 ont une base circulaire d'environ 2 cm (¾ po) alors que celles qui ont été produites après 1991 sont plus grosses et ont une base plus large.

- **Balles de type yo-yo et produits similaires**. Depuis 2003, il est interdit d'annoncer, de vendre ou d'importer ce genre de balles au Canada en raison d'un risque d'étranglement[20]. Fabriqués en plastique extrêmement mou et souple, ces jouets sont constitués d'une boule remplie de liquide attachée à l'extrémité d'un cordon en plastique étirable. On retrouve, à l'autre extrémité, un anneau dans lequel on peut glisser un doigt. Ce jouet, de couleurs et formes diverses (balle hérissée de piquants, globe oculaire, bonhomme sourire…) peut aussi porter le nom de *yo-ball*, *water yo-yo ball*, *yo-yo meteoric ball* ou *flashing yo-yo ball*.

Rappel par les fabricants

Parfois, ce sont les fabricants qui procèdent au rappel d'un de leurs produits. Ainsi, Fisher-Price publie régulièrement la liste de rappel de certains de ses produits[21]. À titre d'exemple, en 2010, cette compagnie a procédé au rappel volontaire de certains modèles de tricycle conçus pour les enfants de 2 à 5 ans et munis de clés d'allumage en plastique sur le tableau de bord. Situées trop près du siège, ces clés pouvaient causer des blessures aux enfants lorsqu'ils s'assoyaient sur le jouet ou s'ils entraient en collision avec un mur ou un objet[22].

Les jouets et les ventes de garage (vide-grenier)

Santé Canada précise que :

> *Toute personne qui tient une vente de garage est tenue par la loi de s'assurer que les produits qu'elle vend — qu'ils soient neufs ou usagés — sont sûrs et conformes aux exigences réglementaires en vigueur. En cédant un produit dans une vente de garage, on se place sous le coup de la* Loi canadienne sur la sécurité des produits de consommation, *entrée en vigueur en juin 2011. Celle-ci ne fait pas la distinction entre un magasin et un particulier, ni entre produits neufs et usagés. Le vendeur est donc responsable de ce qu'il vend. Il est important de ne vendre que des articles en bon état et de vous débarrasser des produits endommagés*[23].

Quiconque vend, distribue ou donne des produits de consommation qui ne sont pas conformes aux exigences réglementaires en vigueur enfreint la loi au Canada. Avant de vendre un jouet, il est donc essentiel de vérifier s'il a fait l'objet d'un rappel[24].

Divers produits sont interdits au Canada ; on ne peut donc ni les vendre ni les donner. Depuis 2004[25], c'est entre autres le cas des marchettes pour bébé.

Les **jouets en mauvais état**, brisés, aux bords acérés (ou qui comportent une pointe aiguë) ou encore des poupées ou peluches rembourrées qui ont des yeux ou un nez mal fixés sont dangereux et ne doivent pas être vendus.

Il faut également s'assurer qu'**aucun aimant n'est mal fixé** sur le jouet avant de le vendre. Contrairement aux aimants traditionnels, les petits aimants puissants — qui entrent dans la fabrication d'une vaste gamme de jouets — exercent une attraction magnétique très forte qui constitue un risque important pour la sécurité.

Les **casques de vélo, de patin à roues alignées et d'équitation** sont conçus pour protéger la tête contre un seul impact. Il n'est pas recommandé de revendre ce type de produits. Quant aux casques et protecteurs faciaux de hockey sur glace vendus au Canada, ils doivent porter une étiquette indiquant qu'ils satisfont aux normes de sécurité établies par l'Association canadienne de normalisation (CSA) et montrant clairement le numéro de la norme. La date de fabrication doit apparaître sur l'étiquette du casque de hockey, lequel doit également être muni d'une jugulaire en bon état. Il ne faut pas vendre un casque qui a plus de cinq ans, qui présente des signes visibles de détérioration, qui a subi un impact important ou auquel il manque certaines pièces.

Enfin, les fléchettes de pelouse à bout allongé sont interdites au Canada. Il n'est donc pas permis de les vendre ou de les donner.

La publicité auprès des enfants

La question de la publicité destinée aux enfants préoccupe nombre de gouvernements et d'organisations à travers le monde. En effet, plus de 60 pays encadrent la publicité télévisée destinée aux enfants par des mécanismes législatifs ou d'autorégulation[26]. Dans certains d'entre eux, elle est carrément interdite. C'est le cas de la Norvège et de la Suède. Au Québec, les articles 248 et 249 de la *Loi sur la protection du consommateur*[27] interdisent la publicité télévisée destinée aux enfants de moins de 13 ans, et ce, depuis près de 35 ans[29]. Tous les supports et tous les médias sont visés, que ce soit la radio, la télévision, le Web, les imprimés (comme les journaux, les magazines, les feuillets publicitaires), l'affichage et les objets promotionnels. L'Office de la protection du consommateur a d'ailleurs publié, le 12 septembre 2012, un nouveau guide d'application des articles 248 et 249 relatifs à la publicité destinée aux enfants de moins de 13 ans[29]. Le Québec est le seul endroit en Amérique du Nord à avoir une telle loi.

Toutefois, les publicitaires trouvent le moyen de contourner la loi pour rejoindre leur jeune public cible. À titre d'exemple, lors d'une émission éducative, on voit des enfants s'amuser avec des jeux de construction Mega Bloks®, dont la marque de commerce apparaît à l'écran[30].

Si la Suède, le Danemark, les Pays-Bas et la Belgique sont favorables à l'interdiction de la publicité pour les enfants à la télévision, d'autres pays d'Europe comme la France, l'Allemagne et la Grande-Bretagne sont plutôt partisans de l'autorégulation des professionnels dans le cadre de « codes de bonne conduite »[31]. Au Luxembourg et en Belgique, la publicité est interdite avant et après les programmes destinés aux enfants[32].

Malgré tout, les jeunes enfants sont très tôt exposés au marketing des jouets dans les catalogues, les circulaires et les magasins de jouets. Ils subissent également la pression de leurs pairs.

Aider l'enfant à devenir un consommateur averti

Dans un cahier intitulé *Vos enfants et la publicité*, produit par l'Office de la protection du consommateur et Les Éditions Protégez-Vous, on apprend que dès l'âge de 2 ans, l'enfant fait ses premières demandes aux parents à propos de produits de consommation (jouets, produits alimentaires, vêtements…)[33]. Chez le tout jeune enfant, l'influence des parents est importante, mais elle diminue rapidement et l'enfant exprime ses désirs concernant divers produits, incluant les jouets. C'est donc dire que la publicité rejoint l'enfant très jeune. Avant de savoir lire, l'enfant de 4 ans reconnaît des centaines de marques. Vers l'âge de 5 ans, il effectue des achats avec l'aide de ses parents. À l'âge de 8 ans, il distingue encore mal information et promotion. Très souvent, son argument majeur pour réclamer tel jouet s'appuie sur le fait que tous ses amis en possèdent déjà un.

Même si un jeune enfant réclame à hauts cris un jouet précis pour Noël, rien ne sert de le restreindre. Encouragez-le plutôt à établir une liste de cadeaux à l'intention du père Noël. Laissez-le noircir des pages de suggestions, tout en précisant toutefois que ce sera au père Noël de choisir. Il est parfois utile, ce gros bonhomme tout de rouge vêtu !

En tant que parent ou adulte proche de l'enfant, vous pouvez aider ce dernier à développer son jugement et son esprit critique. Une visite au magasin de jouets avec lui peut avoir des effets bénéfiques. Parfois, le jouet annoncé donne une fausse idée de sa taille : amener l'enfant au magasin lui permet de voir précisément la grosseur du jouet désiré. Il pourra aussi évaluer plus clairement comment celui-ci peut être utilisé. Tel jouet qui semblait si amusant sur papier peut s'avérer beaucoup moins intéressant dans la « vraie vie ». Une telle visite permet également à l'enfant de prendre conscience qu'on ne peut pas se servir à volonté dans les magasins, qu'il faut payer et que certains jouets sont trop coûteux pour les acheter.

Pour aider l'enfant à devenir un consommateur responsable, vous pouvez lui proposer les activités suivantes, publiées dans *Vos enfants et la publicité* [34].

- « Trouve-moi 10 pubs ! » Aidez votre enfant à repérer la publicité autour de lui. Promenez-vous quelques minutes avec lui dans votre quartier, dans un commerce ou, même, dans votre maison. Inscrivez les différents endroits où vous avez observé une publicité. Le jeu se termine quand vous aurez repéré 10 véhicules publicitaires.
- Expliquez à votre enfant ce qu'est la publicité. Le but de la publicité est de vendre un produit ou un service. Pour y parvenir, les publicitaires utilisent souvent les émotions. Ils font miroiter le bonheur et n'hésitent pas à exagérer la qualité ou la valeur d'un produit.
- « Fais-moi une pub ! » Demandez à votre enfant de jouer le rôle du publicitaire alors que vous incarnez un consommateur. Il doit vous vendre un objet déterminé. Quand il aura réussi à vous convaincre (parce qu'il doit y arriver), voyez avec lui comment il s'y est pris et comparez ses stratégies avec celles utilisées en publicité.

Voici une autre astuce qui peut aider l'enfant d'âge scolaire à devenir conscient des coûts liés à la consommation. Lorsque les grands-parents ou les parrain et marraine veulent lui offrir un cadeau pour son anniversaire ou pour Noël, ils peuvent l'inviter à choisir lui-même ce qu'il souhaite en magasin. En établissant d'abord un montant à respecter, l'enfant pourra choisir un jouet, un livre, un bijou ou un vêtement, à la condition de respecter le budget alloué. On peut parier qu'il choisira avec beaucoup de minutie afin de retirer le maximum de l'argent dont il dispose. Il sera aussi très fier de montrer les achats qu'il aura faits en tant que… consommateur averti.

> ### Saviez-vous que…
>
> Voici, dans l'ordre, les six plus gros fabricants de jeux et jouets du monde avec leurs principaux produits[35]. Lego® vient en 7e place.
>
>
>
> 1- Nintendo (Game Boy®, Nintendo DS®, Wii®)
> 2- Sony Computers (Play Station®)
> 3- Mattel (Barbie®, Scrabble®)
> 4- Namco Bandai (Pac Man®, Tamagoshis®, Power Rangers®)
> 5- Hasbro (Monopoly®, Trivial Pursuit®)
> 6- Tomy (Télétubbies®, Pokémon®, Winnie l'ourson®)

Notes

1. www.portail-ie.fr/article/654/On-ne-joue-pas-avec-le-jouet [consulté le 26 mars 2013].
2. C. GOLDSMITH. « Au cœur d'une industrie compétitive ». *Protégez-Vous – Guide annuel Jouets* 2013. 2012 12-13.
3. http://laws-lois.justice.gc.ca/fra/reglements/DORS-2011-17/index.html [consulté le 13 mai 2013].
4. http://novae.ca/actualites/2012-02/une-premi%C3%A8re-norme-environnementale-pour-les-fabricants-de-jouets [consulté le 18 mai 2013].

5. www.cdntoyassn.com/viewpage.cfm?PageID=43 [consulté le 4 mai 2012].
6. http://bojeux.com/FR/media/media_profil.html [consulté le 8 janvier 2013].
7. www.gladius.ca/fr/Communiques/le-plus-grand-manufacturier-de-jeux-de-societe-au-canada-est-au-quebec [consulté le 8 janvier 2013].
8. C. GOLDSMITH, *Op. cit.*
9. www.protegez-vous.ca/ [consulté le 13 mai 2013].
10. www.protegez-vous.ca/recherche.html?keyword=jouets [consulté le 7 avril 2013].
11. Entrevue avec Danielle Charbonneau, coordonnatrice du dossier jouets à Option consommateurs, 18 septembre 2012. Site web: www.option-consommateurs.org
12. http://toy-testing.org/ [consulté le 16 avril 2013].
13. www.hc-sc.gc.ca/hl-vs/iyh-vsv/prod/toys-jouets-fra.php#a3 [consulté le 16 avril 2013].
14. http://lobe.ca/audition-langage-et-parole/aider-un-proche-audition-langage-et-parole/conseils-sante-aider-un-proche-audition-langage-et-parole/les-jouets-sont-ils-dommageables-pour-laudition/ [consulté le 5 mars 2013].
15. www.hc-sc.gc.ca/cps-spc/pubs/cons/magnets_danger-aimant-fra.php [consulté le 5 mars 2013].
16. www.canadiensensante.gc.ca/kids-enfants/toy-jouet/batteries-piles-fra.php [consulté le 10 mars 2013].
17. http://canadiensensante.gc.ca/recall-alert-rappel-avis/search-recherche/result-resultat?search_text_1=jouets [consulté le 10 mai 2013].
18. http://ec.europa.eu/consumers/dyna/rapex/create_rapex.cfm?rx_id=455 [consulté le 10 mai 2013].
19. http://efoodalert.net/2012/02/21/recalls-and-alerts-february-21-2012/ [consulté le 7 février 2013].
20. www.hc-sc.gc.ca/cps-spc/advisories-avis/info-ind/yoyo-fra.php [consulté le 3 mai 2013].
21. www.radio-canada.ca/nouvelles/International/2010/09/30/004-rappel-f-price-jouets.shtml [consulté le 23 avril 2013].
22. www.canadiensensante.gc.ca/recall-alert-rappel-avis/hc-sc/2012/14968r-fra.php [consulté le 23 avril 2013].
23. http://canadiensensante.gc.ca/recall-alert-rappel-avis/search-recherche/result-resultat?search_text_1=jouets [consulté le 12 mai 2013].

24. www.hc-sc.gc.ca/cps-spc/pubs/cons/garage-fra.php [consulté le 7 janvier 2013].

25. www.hc-sc.gc.ca/cps-spc/advisories-avis/out-ext/index-fra.php [consulté le 7 janvier 2013].

26. http://fr.jurispedia.org/index.php/La_publicit%C3%A9_et_les_mineurs_(fr)#La_r.C3.A8glementation_fran.C3.A7aise_de_protection_des_mineurs_vis-.C3.A0-vis_de_la_publicit.C3.A9_t.C3.A9l.C3.A9visuelle [consulté le 7 février 2013].

27. L.R.Q., chapitre P-40.1. Loi sur la protection du consommateur. Article 248-249. Sainte-Foy: Éditeur officiel. Mis à jour du 1er juillet 2012.

28. www.opc.gouv.qc.ca/en/news/article/nouveau-guide-sur-la-publicite-destinee-aux-enfants/ [consulté le 7 janvier 2013].

29. www.opc.gouv.qc.ca/fileadmin/media/documents/commercant/publicite-pratique-illegale/enfant/GuideApplication.pdf [consulté le 7 janvier 2013].

30. www.radio-canada.ca/actualite/v2/enjeux/niveau2_12909.shtml# [consulté le 12 janvier 2013].

31. http://fr.jurispedia.org/index.php/La_publicit%C3%A9_et_les_mineurs_(fr)#La_r.C3.A8glementation_de_la_publicit.C3.A9_t.C3.A9l.C3.A9visuelle_et_les_enfants [consulté le 2 septembre 2012].

32. http://fr.jurispedia.org/index.php/La_publicit%C3%A9_et_les_mineurs_(fr)#La_r.C3.A8glementation_fran.C3.A7aise_de_protection_des_mineurs_vis-.C3.A0-vis_de_la_publicit.C3.A9_t.C3.A9l.C3.A9visuelle [consulté le 7 février 2013].

33. www.opc.gouv.qc.ca/fileadmin/media/documents/consommateur/sujet/publicite-pratique-illegale/EnfantsPub.pdf [consulté le 17 décembre 2012].

34. *Ibid.*

35. http://les-top10.com/?p=3423 [consulté le 8 janvier 2013].

Conclusion

*De même que l'adulte créatif a besoin de jouer avec les idées,
l'enfant, pour former ses idées, a besoin de jouets.*
B. Bettelheim[1]

Notre voyage dans le monde des jouets et des jeux se termine ici. Il a été possible de constater que le jouet a tracé sa voie dès l'Antiquité et que cette voie s'est élargie au fil des siècles. Aujourd'hui, le marché des jouets est florissant et les enfants représentent une clientèle de choix pour les fabricants.

On pourrait dire que le nombre de jouets est devenu presque inversement proportionnel au nombre d'enfants par famille. Quoique celui-ci soit moindre qu'il y a quelques décennies, le nombre de jouets par enfant, lui, a sensiblement augmenté. Les marchands de jouets multiplient leurs efforts de séduction et réussissent fort bien à susciter chez l'enfant le désir du dernier jouet disponible sur le marché.

Dans notre société de consommation, nous confondons souvent besoin et désir. Oui, l'enfant a besoin de jouets, mais il n'est pas souhaitable de toujours céder au moindre de ses désirs. En faisant la distinction entre les deux, nous pourrons l'aider à devenir un consommateur averti et lui transmettre des valeurs autres que matérielles.

Pour redonner au jouet ses lettres de noblesse, il faudrait revenir à la base, à savoir sa fonction première, qui est de stimuler le jeu de l'enfant. La panoplie de jouets qu'on retrouve dans les chambres passent-ils le test ? Réussissent-ils à faire jouer nos enfants ? Combien sont délaissés sur les tablettes pendant de longues périodes ? Nos enfants jouent-ils plus que ceux des dernières décennies ? Rien n'est moins sûr.

Certains matériels de jeu — notamment les jeux électroniques et les jeux vidéo — monopolisent de nombreuses heures dans le quotidien des enfants. Cette situation est désolante parce qu'elle empêche ces derniers d'avoir des jeux variés qui leur permettraient de bouger, d'imaginer, de manipuler, de créer, de comprendre et d'interagir avec les autres. Une variété de jouets est nécessaire pour permettre à l'enfant de satisfaire ces divers besoins. Une surabondance de jouets aura par ailleurs un effet négatif en risquant de paralyser le jeu de l'enfant, qui ne saura plus avec lequel jouer.

Parfois, nous choisissons pour nos enfants les jouets que nous aurions aimé avoir dans notre enfance. Parfois, nous accédons aux demandes répétées de l'enfant pour compenser le peu de temps que nous pouvons lui consacrer. En d'autres mots, nous nous déculpabilisons. Ce ne sont pas là les meilleures motivations.

Il faut choisir les jouets pour le jeu qu'ils peuvent susciter, pour la variété d'expériences ludiques qu'ils proposent, pour le plaisir que l'enfant en retirera, et ce, sur une longue période de temps. C'est en pensant à l'enfant qu'on fera le choix le plus judicieux.

Enfin, rappelons-nous que le jouet le plus sophistiqué ne remplacera jamais l'amour qu'on manifeste aux enfants — en jouant avec eux, par exemple — et que le prix qu'on paie n'est pas non plus l'indice de la profondeur de nos sentiments à leur endroit.

Note

1. B. BETTELHEIM. *Pour être des parents acceptables – une psychanalyse du jeu*. Paris: Éditions Robert Laffont, 1988, p. 195.

MARQUIS

Québec, Canada

Imprimé sur du papier Enviro 100% postconsommation
traité sans chlore, accrédité ÉcoLogo et fait à partir de biogaz.